FIGLI DELLO STESSO CIELO

A mio padre,
che mi ha raccontato il Novecento,
e ad Angelo Del Boca
per i suoi libri straordinari

www.battelloavapore.it

Pubblicato per PIEMME da Mondadori Libri S.p.A.
I Edizione 2021

ISBN 978-88-566-8226-7

Anno 2022-2023 Edizione 2 3 4 5 6 7 8 9 10

Finito di stampare presso Grafica Veneta S.p.A.
Via Malcanton, 2 – Trebaseleghe (PD)
Printed in Italy

Igiaba Scego

Figli dello stesso cielo

Il razzismo e il colonialismo raccontati ai ragazzi

PIEMME

1

Il mio nonno paterno non l'ho mai conosciuto, ma l'ho sognato tante, tantissime volte.

In questi sogni facevamo lunghe passeggiate e parlavamo, parlavamo, parlavamo, sempre in un luogo diverso, sempre a scavare nel passato.

Mio nonno si chiamava Omar Scego ed era nato nel Diciannovesimo secolo. L'ultimo anno del Diciannovesimo secolo, a dir la verità. Però è sempre stato un uomo del Ventesimo secolo, un uomo in tutto e per tutto del Novecento.

A volte penso a mio nonno Omar come a quei personaggi antichi che trovi nei libri di storia. Le foto che avevamo di lui a casa erano poche e quasi tutte in bianco e nero. Quella che più mi colpiva era appesa sopra il divano.

Era una foto non grande, a mezzo busto, dove il nonno aveva uno sguardo intenso, luminoso, limpido come la rugiada del mattino, e indossava una veste e un turbante bianchi. La faccia era allungata, aveva baffetti ben curati e barbetta a punta, come il cardinale Richelieu che si trova nei libri del mio amatissimo Alexandre Dumas, l'autore de *I tre moschettieri*.

Il nonno era così: regale nello sguardo, con quel mento rialzato, un po' snob. Quanto era bello! In ogni espressione del suo viso erano racchiusi un mondo, un sentimento, una storia, un orizzonte. Ecco, per me nonno Omar era un po' come un attore del cinema muto: ogni sua espressione nobile e austera, a me che pur essendo sua nipote non lo avevo mai conosciuto, apriva porte d'infinito.

Da piccola passavo ore a guardare quella foto. Mi sembrava così strana. Sul serio io e quell'uomo di un altro secolo eravamo parenti? Io così goffa e lui così nobile? Ogni volta che guardavo la foto avevo una grande paura di non esserne all'altezza, però allo stesso tempo ero anche curiosa di saperne di più di quel nonno che assomigliava a un re, ma anche a un pirata. E volevo che fosse orgoglioso di me.

Volevo piacergli, ma purtroppo non ci siamo mai conosciuti. Lui è morto molti anni prima che io nascessi. Per fortuna poi sono arrivati i sogni.

Ma prima dei sogni, delle parole, delle passeggiate, a colpirmi, in quel ritratto appeso sopra il divano, era il suo colore: il nonno era chiaro, chiarissimo, quasi bianco. Potevi scambiarlo benissimo per un italiano, uno spagnolo, un algerino, un francese. Non capivo tutto quel bianco. Come mai era così? Il suo colore mi confondeva! La mia famiglia è di origine somala, questo non ve l'ho detto ancora, ed è un'informazione importante per comprendere questa faccenda del colore. Non potete capire tutta questa storia, se non sapete dove si trova la Somalia e cosa è successo lì negli ultimi trent'anni. E ancora prima, andando indietro anche di cento anni. Per ora però torniamo indietro solo di trenta.

Allora, prima informazione importantissima: la Somalia è il naso dell'Africa. Sì, il naso, e si affaccia sull'Oceano Indiano. Sembra il corno di un rinoceronte, è appuntita, piena di coste, conchiglie, balene, pescecani e coralli. Le sue città più importanti sono Mogadiscio, la capitale, Merca, Brava, Hobyaa, Baidoa... La prima volta che ci ho messo piede ho pensato di essere arrivata nel paradiso terrestre di cui parlano tutti i libri sacri, dalla Bibbia al Corano. Questo mi sembrava, la Somalia, piena di dolci manghi, soffici papaie, profumati pompelmi e una flora di cielo e di terra tra le più svariate al mondo.

Poi negli anni Novanta del Novecento è scoppiata una guerra civile: fratelli contro fratelli, sorelle contro sorelle. Spari, feriti, morti, ruderi, dolore, ed è durata, ahinoi, trent'anni (e in un certo senso si può dire che non sia mai completamente finita). Insomma, da paradiso, la Somalia è diventata un inferno.

Io sono nata a Roma e sono andata tante volte in Somalia in estate, prima della guerra degli anni Novanta. Poi ci sono rimasta anche un anno e mezzo e ho frequentato la scuola italiana del consolato, sempre prima della guerra. A dodici anni sono tornata a vivere a Roma, e quattro anni dopo, a inizio anni Novanta del Ventesimo secolo, è scoppiata quella guerra infame. Da allora – e ho più di quaranta anni adesso – non sono più tornata a Mogadiscio, non sono più tornata nel Sud della Somalia, e confesso di avere paura all'idea di tornarci e vedere quanto è cambiato tutto, che non è rimasto niente di quello che conoscevo.

È una paura che hanno anche cugine, cugini, fratelli, sorelle, persino mia madre. Loro al contrario di me lì ci sono cresciuti.

E poi, va detto, ahinoi, il paese non è ancora sicuro. Ci sono tanti attacchi terroristici, tante bombe. Dicono che sia uno dei paesi più pericolosi al mondo, perché ci sono tante armi e ci sono tante armi perché la parte ricca del mondo vende armi alla Somalia, come ad altri paesi in situazioni simili.

Una storia triste quella della mia Somalia, speriamo cambi tutto presto. Nessuno dovrebbe vendere armi e nessuno dovrebbe comprarle. Le guerre non servono a niente!

Ma – e riprendo il filo di quello che vi stavo dicendo – anche se non ci vado da tanti, troppi, anni, io voglio bene alla Somalia, e da quando è scoppiata la guerra civile penso di abitare, come dice lo scrittore somalo Nuruddin Farah, "il paese della mia immaginazione". Per me la Somalia è ovunque perché me la porto nel cuore, sulle spalle, nel cervello, tra le dita. È la mia storia, quella della mia famiglia. Te la porti dentro e basta.

Vi ho parlato della Somalia per potervi anche raccontare che il colore della pelle della mia famiglia e della gran maggioranza dei somali è nero. Noi siamo neri, la nostra pelle è nera. In famiglia siamo tutti o quasi tutti scurissimi. Chi più, chi meno, ma guardandoci vedrete come la pelle nera in noi trionfa. La mia mamma, mamma Khadija, è scura come me, la nonna materna Ambra e il nonno materno Jama sono scurissimi. Nonna Auralla, madre di mio padre, era di un ebano lucente, che assomigliava molto alla mia sfumatura di pelle. Sfumatura di ebano che aveva pure mio padre Ali. Insomma, la nostra pelle è veramente *made in Africa*. Una pelle che adoriamo, dove in ogni poro leggiamo le lotte che hanno combattuto i nostri antenati e tutte le loro speranze di costruire un mondo migliore. Sì, io le vedo tutte in filigrana sulla pelle le storie della mia famiglia. Sapete, se interroghiamo il nostro corpo, lui ci parla. E pure tanto. Davvero! Avete provato a interrogare il vostro corpo? Ci avete mai parlato? Io ci parlo continuamente. E da lì ho capito che il nostro corpo – quindi anche la nostra pelle – conosce la nostra storia, a volte meglio di noi, e conosce anche la storia di chi ci ha preceduto in famiglia.

Allora come mai il nonno era così chiaro, così

bianco? Che storia racchiudeva quella sua pelle chiara? Era questa la domanda che mi facevo sempre.

E fu la prima cosa che chiesi al nonno durante quel primo sogno, quando mi apparve per la prima volta, sorridente e con il turbante bianco arrotolato in testa.

Nel sogno io avevo undici anni. Non ero la donna di adesso, con più di quarant'anni, i capelli cortissimi, gli occhiali dalla montatura spessa nera (eh, sì, mi piacciono un sacco gli occhialoni, sono il mio segno distintivo) e la passione per gli orecchini giocosi. Ero diversa: più piccola, più bassa, con occhiali argentei a forma di occhi di gatto e una fascia che mi sosteneva i miliardi di ricci afro che mi pesavano in testa come una pecora da tosare.

Avevo anche la voce acuta dei miei undici anni, e la curiosità di sapere tutto, di conoscere il mondo.

Quando io avevo undici anni non c'era ancora internet, non si poteva usare Google né scoprire quello che si andava cercando su Wikipedia, che non esisteva. Naturalmente non c'erano i social, nessuno faceva filmati su TikTok né foto su Instagram. Nessuno poteva recuperare i video su YouTube né vedere serie su Netflix.

Però avevo altre cose. Avevo tante musicassette. Ci registravo sopra la musica che passava in radio e che mi piaceva: Michael Jackson, Madonna, Stevie Wonder, Paula Abdul, Loredana Bertè. Era l'epoca delle foto su pellicola da stampare: le portavamo in un negozio che ce le sviluppava e mettevamo tutto nell'album di famiglia, o se era la foto di un ragazzo che ci piaceva direttamente nel diario di scuola. Quando andavo alle medie non esisteva il cellulare, ma solo il telefono pubblico a gettoni.

Insomma, quando avevo undici anni io, era un mondo diverso da quello di oggi, però alcune cose erano le stesse. Le passeggiate, per esempio. Da millenni l'Homo sapiens passeggia. E lo fa allo stesso modo da secoli.

Ed è ciò che facevamo io e nonno Omar in

sogno. Eravamo due Sapiens che camminavano allegramente in posti sempre diversi.

E intanto parlavamo... parlavamo un sacco!

In quel primo sogno naturalmente gli chiesi:
– Nonno, perché sei bianco?

E il nonno rise. Aveva dei denti dritti, bianchissimi anch'essi. Labbra carnose. Più lo guardavo, più mi sembrava davvero un pirata, uno di quelli che si vedono nei dipinti del Seicento.

– Non sono bianco – mi disse il nonno serafico. – Sono di Brava.

E cominciò a spiegare.

2

Devi sapere, nipote, che a Brava siamo tutti mescolati con qualcuno di vicino o di lontano. Brava, o come si dice in somalo *Barawe*, è una cittadina a sud di Mogadiscio, nella parte meridionale della penisola somala. Quando io ero piccolo era una città di costruzioni bianche, arabeggianti, che respingevano il calore del sole e l'afa dell'equatore. Case freschissime, dove ti sentivi protetto. Brava, come tante città africane della costa sud-orientale del continente africano, aveva spiagge bellissime, soffici e con riflessi argentei da togliere il fiato. Ed era bello scoprire dalla spiaggia questa piccola città nascosta da una conca. Era come un'oasi verde in mezzo al deserto. Città di pesce, datteri, palme e papaie. Facevamo delle focacce acide che, mangiate con una buona salsa robusta di carne macinata e pomodoro, erano la fine del mondo. Le coste meridionali dell'Africa orientale erano un grande luogo di passaggio.

Prendi la cartina, nipote. Guarda dove si trova Brava, vedi? Siamo in mezzo all'Oceano Indiano! Siamo una città africana che dialoga con l'Asia. Dialoghiamo sia con il subcontinente indiano e i suoi satelliti sia con i paesi arabi del Vicino Oriente. Persino con la lontana Cina siamo in contatto. Per ben due volte tra il 1417 e il 1419 a Brava è capitato un ammiraglio cinese, di nome Zheng He: era incuriosito da noi, ma anche un po' intimorito. Ha scritto nel suo diario di bordo che: "Sia a Brava sia a Mogadiscio la gente è un po' irascibile e un po' rissosa". E, insomma, lui per paura non è rimasto molto a Brava.

In realtà Zheng He si sbagliava di grosso. Siamo stati sempre molto accoglienti. Un popolo di pescatori e, nella parte interna, di agricoltori. Vivevamo con poco, rispettando la natura e aspettando che il mare ci parlasse, ci consigliasse. Siamo stati a lungo uno dei pochi posti in Somalia dove si mangiava il pesce, perché nonostante le lunghe coste la cultura del pesce non si era fatta strada nella regione. Addirittura c'è stato un tempo in cui a Mogadiscio se mangiavi pesce ti guardavano storto, quasi fossi un barbaro, un incivile! Ma ora sta cambiando tutto, per fortuna. Anche in Somalia finalmente si mangia il pesce. Nel resto del paese hanno capito che noi *bravani* volevamo riempirci la pancia con quelle prelibatezze che il mare ci regalava con amore.

Quindi per capire Brava, ma per capire anche me, tuo nonno Omar, il mio colore, devi pensare al mare. Essere una città di mare significa vivere in una casa con la porta sempre aperta. Ti busserà sempre qualcuno, da lontano, da una terra di cui nemmeno immagini l'esistenza. Ed è così che a casa, a Brava, sono passati antichi Egizi

– sì, quelli dei faraoni e delle piramidi – approdati in Somalia in cerca di incensi, e poi nubiani, indiani dal subcontinente, abitanti creoli dell'isola Mauritius, omaniti dalla penisola arabica, yemeniti sempre dalla penisola arabica e poi i portoghesi, che approdarono a Brava quando Vasco da Gama circumnavigò il globo nel 1497-1499.

Quindi, quando guardi me, ma anche quando guardi te stessa allo specchio, ricordati che in te ci sono l'Egitto delle Piramidi e il Portogallo con le sue caravelle. Che siamo fatti di Africa, ma anche di Asia e di Europa. E quel colore che tu chiami bianco, in realtà nasce da tutti questi mescolamenti. Siamo un frullato di storie, di genti, di lingue, di visioni. Hai sicuramente sentito tuo papà, mio figlio Ali, parlare al telefono: parla tantissime lingue. A tuo papà piaceva imparare le lingue degli altri. Un figlio socievole, ma le sue lingue madri sono due: il somalo e il bravano.

Il somalo della Somalia, la lingua che unisce da nord a sud la regione, ha molto a che vedere con la lingua dell'antico Egitto, quello parlato dai faraoni come Akhenaton o da regine importanti come Nefertiti. Non è un caso che Michael Jackson, quello di *Thriller*, quando ha fatto il video per la canzone *Remember The Time* ha chiesto a Iman, una modella somala, di interpretare un'antica regina egizia: una regina che assomigliava molto a Nefertiti.

Insomma, i somali hanno tanti tratti in comune con gli antichi Egizi. Hai mai visto i poggiatesta e i cuscini di legno dei nomadi del Nord della Somalia? Ecco, se vai al Museo Egizio di Torino ne troverai di uguali identici, ma di più di quattromila anni fa. Quindi, sì, siamo un po' come gli antichi Egizi anche nella lingua, non solo nell'aspetto.

A Brava si parla il bravano, una variante del kiswahili, una lingua bantu parlata in metà dell'Africa, dal Kenya alla Tanzania. Una lingua dove i prestiti dall'arabo e dalle varie lingue del subcontinente indiano sono molto forti.

Non ti ho detto una cosa importante: dentro il

somalo (e anche un po' nel bravano) ci sono parecchie parole italiane. Sì, italiane! Tipo *starascio* (straccio), *occhiale* (occhiale), *municipio* (chiamavamo così il vigile urbano!), *dolshe* (dolce), *jalaato* (gelato), *garawaati* (cravatta), *boorso* (borsa), *barafuun* (profumo), *armaajo* (armadio), *iskafaale* (scaffale), *shukumaan* (asciugamano), *farmashiyaha* (farmacia), *isboorti* (sport), *telefisyoon* (televisione) e così via.

Gli italiani, colonizzandoci, hanno colonizzato anche la nostra lingua. Ogni tre parole somale, ne sbuca sempre una italiana. Già, perché devi sapere che la nostra Somalia quando ero piccolo io era una colonia. Sai cosa significa "colonialismo", vero?

Vabbè, te lo ripeto che non si sa mai...

★ Devi sapere, cara nipote, che colonialismo fa rima con egoismo.

Okay, non è una rima perfetta. Ma sono concetti molto vicini. Infatti noi Sapiens siamo egoisti.

Quando abbiamo un po' di cose, ne desideriamo altre, migliori e in maggior numero. E poi quando le otteniamo, ne vogliamo ancora di più. E poi di più e di più, e questa storia non finisce mai. Siamo sempre lì a volere cose su cose. Insomma, non siamo mai sazi. E siamo parecchio voraci. Feroci. Ferocissimi. E così rubiamo le cose degli altri. Ce le pappiamo, letteralmente. E facciamo del mondo un sol boccone. Ed è così che è successo con il colonialismo. Una parte di mondo si è letteralmente mangiata l'altra parte.

Voglio fartelo capire meglio, questo concetto. Perché voglio che tu capisca tutta la mia storia e la mia storia è legata a questa parola: "colonialismo".

Allora: c'era una volta un popolo, e un giorno questo popolo dice che il suo paese gli sta stretto, non trova più così bello ciò che ha e non gli basta più niente. Ma poi vede delle terre non sue, lontane o vicine poco importa, e comincia a desiderarle in modo matto e disperatissimo. Un po' come quando vedi un bel dolce nella vetrina di un pasticciere e non hai i soldi per comprarlo. Cominci a desiderare tutto, di quella torta: la crema, la cioccolata, la sfoglia e la ciliegina naturalmente. Vorresti mangiartela tutta, *gnam*, in un sol boccone, e farla sparire nella pancia in un secondo e mezzo. Ma la torta è del pasticciere, mica tua! Ed è anche di chi l'ha ordinata, pagata, fatta preparare apposta per la sua festa di compleanno. Insomma, la torta è di qualcun altro, mica te la puoi prendere così senza permesso!

Ecco, in un certo senso anche alle nostre terre, in Africa, e poi in Asia e in America Latina, è capitato lo stesso.

Le terre – devi sapere, nipote – appartengono sentimentalmente a chi le abita, le rispetta, le ama. Di certo non a chi vuole sfruttarle, umiliarle, avvelenarle, toglierle al legittimo proprietario.

Il buon senso suggerisce di lasciar perdere, di non desiderare le terre altrui o le torte altrui. Mica possiamo spaccare la vetrina del pasticciere e rubarci la torta, no? Non si fa, è una cosa da delinquenti. E invece è quello che l'Europa ha fatto con gran parte del mondo: le nazioni europee sono andate dai popoli del Sud e si sono prese le loro terre, le loro risorse, il loro futuro, la loro anima e persino la libertà della gente. Insomma, il colonialismo, se dobbiamo proprio dare una definizione da vocabolario, è l'espansione di uno stato fuori dai suoi confini. Certo, per svariati millenni i popoli hanno assoggettato altri popoli, ma con questa parola gli storici indicano una precisa fase della Storia, quella moderna e contemporanea, quando molte nazioni europee hanno occupato e sfruttato territori extraeuropei, usando la violenza, l'inganno e la forza delle armi.

Questa fase della storia inizia con le esplorazioni geografiche europee, quando il genovese Cristoforo Colombo, per conto dei re spagnoli, nel 1492 arriva nel continente americano. Per essere precisi lui arriva nell'isola di Guanahani, che subito fa ribattezzare San Salvador, nell'arcipelago delle Bahamas.

Colombo era convinto di trovarsi in Asia, non aveva idea di aver appena raggiunto un altro continente, fino ad allora sconosciuto in Europa. Per questo si dice sempre che Cristoforo Colombo ha scoperto l'America. È scritto in tutti i libri di scuola, e se c'è scritto sarà la verità, no? In realtà Cristoforo Colombo non ha scoperto niente! Il continente americano esisteva ben prima di lui. Colombo è solo sbarcato lì con la sua caravella. Niente di più, niente di meno. E poi, ecco, quando è arrivato lì – anche se pensava di essere arrivato in Catai, nelle terre d'Asia – aveva brutte intenzioni. I re di Spagna gli avevano affidato una missione: doveva "colonizzare" il popolo che si fosse trovato davanti. Insomma, lo doveva sottomettere, con le buone o con le cattive. Quindi anche se fu casuale quella che per secoli fu chiamata "scoperta", e scoperta non è, l'intenzione di far male al prossimo non era casuale. Colombo era partito con armi, pessime intenzioni e brutti pensieri verso gli altri. L'obiettivo del suo viaggio era sottomettere i popoli e prendere le loro risorse.

Lo stesso obiettivo che avrebbero avuto tutti gli altri viaggi fatti dagli esploratori dopo di lui.

Ricordati della torta nella vetrina del pasticciere, nipote. Ecco, molte persone, prima dalla Spagna e dal Portogallo, poi dalla Gran Bretagna e dalla Francia, partivano con un solo obiettivo: diventare ricchi. Dicevano che l'America era un regno pieno d'oro, e ci andavano per far fortuna e, se c'erano altri popoli di mezzo, venivano eliminati a suon di fucile. Poveretti!

In breve tempo i popoli nativi americani diventarono stranieri nel loro stesso paese. In più gli stranieri che arrivavano lì portavano malattie che le popolazioni locali non avevano mai conosciuto. Il risultato fu davvero una catastrofe: pensa agli Aztechi sterminati da Hernán Cortés o agli Inca sterminati da Pizarro.

Così, con un genocidio, è cominciato quello che gli storici hanno chiamato "colonialismo storico" e questa faccenda è durata fino al Ventesimo secolo quando le nazioni africane, asiatiche – che un tempo erano colonie – sono diventate indipendenti.

Va detto, però, che vista la situazione in cui vivono molti paesi d'Africa, Asia e America Latina oggi, sembra che il colonialismo non sia mai veramente finito, perché le diseguaglianze che ha creato sono rimaste in piedi.

Insomma, capisci nipote, "colonialismo" è una parola difficile. Non solo per me che ne ho avuto un'esperienza diretta, ma pure per la tua generazione che ci deve fare ancora i conti. Una parola piena di dolore, contraddizioni, ombre. E ora vorrei spiegarti come mai il nonno, il tuo *awowe* Omar, è finito in mezzo a questa storia.

Quando ero piccolo vivevo a Brava con i miei e ci sono rimasto fino alla mia adolescenza. Mi ricordo ancora le corse sfrenate con gli amici in spiaggia, il mare così azzurro, la sabbia così d'oro. E poi le chiacchiere, i giochi, gli scherzi. La nostra vita era tutta all'aria aperta. La città era il nostro campo giochi.

Poi ho cominciato ad allungarmi tutto. Sono diventato un ragazzino con le braccia lunghissime, il collo lunghissimo e gli occhi grandissimi. A undici anni ne dimostravo già tredici. Ed è per questo che mio padre mi prese a lavorare con lui nel suo emporio. Vendeva verdure, sacchi di riso dell'entroterra, farina di mais per la polenta, spezie, tante tantissime spezie, e latte di capra appena munto.

Ancora ricordo la fatica che facevo i primi tempi. Dovevo caricare e scaricare pacchi, pulire, detergere, igienizzare. Mio padre era fissato con la pulizia. Non voleva nemmeno per sbaglio che la sua merce fosse rovinata dalle blatte o dalle formiche.

«Se poi mi entrano dentro i sacchi mi rovinano tutto e la merce è da buttare. Non me lo posso permettere. Il denaro mica ti arriva dal cielo» mi diceva sempre. E così mi ha educato a dare al denaro il giusto peso. Mi raccomandava sempre di non sperperarlo. E così io di ramazza a pulire tutto l'emporio. «Gli insetti non devono entrare nei sacchi. Mi raccomando, Omar, conto su di te.»

Adoravo l'odore del cardamomo, dei chiodi di garofano e della cannella, le spezie alla base del nostro tè somalo profumato, la nostra bevanda nazionale. Ah, che bontà! Devi sapere, nipote, che quello nell'emporio era un lavoro meccanico e un po' noioso. Non era come avere un negozio in una grande città, ci conoscevano tutti a Brava. Non c'era nessuna novità: le persone di sempre che compravano, ogni settimana, le stesse mercanzie. Volevo bene e rispettavo molto i miei, erano genitori affettuosi. C'era tra noi stima reciproca. Ma, ecco, a me stava stretto l'emporio e stava sempre più stretta anche Brava. Scalpitavo per tutto ciò che non conoscevo e morivo dalla voglia di conoscere. Volevo avventure mirabolanti, le sognavo ogni sera, nel mio letto, chiudendo gli occhi stretti stretti e volando nel mondo della fantasia. Già mi vedevo grande, bello, altissimo, con la barba, e soprattutto in quella capitale, Mogadiscio, di cui parlavano tutti gli ospiti che venivano a contrattare le merci.

«Ma perché non te ne vai a Mogadiscio? Lì in massimo un'ora venderesti quello che qui vendi in dieci giorni. Perché fare la fame, quando puoi avere Mogadiscio e la sua ricchezza?» dicevano a mio padre.

A questi suggerimenti lui rispondeva facendo spallucce e poi puntualmente diceva: «Ma perché me ne dovrei andare? Brava è il paradiso. C'è un mare splendido».

E lo era davvero.

Altre persone dicevano: «Lì ci sono gli italiani che comprano. Guarda: faresti i soldi, quelli veri. Lascia Brava e vai lì, che si muove tutto. Con gli italiani fai i soldi senza fatica. Negli affari spendono e spandono. In un emporio come il tuo si comprerebbero tutto e tu saresti ricco come un pascià».

Ma mio padre continuava a scrollare le spalle e a dire: «Io sto bene qui».

Quei discorsi da grandi mi incuriosivano tantissimo. Anche perché non li capivo del tutto. C'era sempre qualche parola misteriosa che per me ragazzino di undici anni era veramente strana. Soprattutto non capivo, grande mistero, che cos'era un "italiano".

Ora lo so: gli italiani sono gli abitanti della penisola italica. Gli italiani sono quelli che hanno Roma Capitale, mangiano la pasta e hanno inventato la pizza, nonché il gelato. Quelli, insomma, che si trovano al centro del Mediterraneo. E come direbbe Dante Alighieri, il sommo poeta, il "bel paese là dove 'l sì suona". All'epoca, da come ne parlava la gente, essere italiani non era poi male. Io avevo capito che avevano belle case e avevano i soldi per comprare tutto l'emporio di papà.

Per un bel po' per me "italiani" divenne sinonimo di creature magiche. Me li immaginavo come i *jinni*, i demonietti della tradizione islamica, o gli elfi. Qualcosa che veniva da un'altra dimensione.

Poi però un giorno...

Il nonno non riuscì a finire la frase. Mi ero svegliata. Non avevo undici anni, ma più di quaranta. Ero tornata nel mio corpo da adulta.

Conservavo però negli occhi scuri lo stesso luccichio dei miei undici anni. Lo stesso luccichio di quando il mondo è tutta una scoperta. Ero felice, avevo fatto una passeggiata con il nonno. La nostra prima vera passeggiata.

3

Per un po' di giorni non sognai il nonno. E ogni volta avevo i nervi a fior di pelle: davvero quel nonno che si era appena affacciato alla mia vita era già sfumato?

Ero sconcertata e ben presto il ricordo di quella prima passeggiata si guastò. Il suo viso inturbantato e chiaro come l'aurora cominciò a sbiadire. Esattamente come sbiadisce un maglione color pastello in lavatrice se si sbagliano detersivo, temperatura, programma di lavaggio: il maglione perde colore, diventa brutto, si infeltrisce.

«Se solo avessi saputo che era la prima e anche l'ultima volta che lo avrei visto, gli avrei chiesto più cose» dicevo tra me e me. Un po' ero arrabbiata con il nonno. Sentivo che mi aveva abbandonato. E un po' ero arrabbiata con me stessa per non avergli chiesto se sarebbe tornato da me, a parlare, a passeggiare, a farmi scoprire le mille cose che conosceva e aveva vissuto.

Rimasi arrabbiata per cinque o forse sei giorni.

Poi al settimo il nonno apparve. Naturalmente in sogno.

Questa volta era senza turbante. Aveva una camicia e dei calzoni corti. Non aveva la faccia da nonno con il pizzetto bianco come il cardinale Richelieu de *I tre moschettieri*: davanti a me c'era un ragazzo di diciotto o vent'anni.

– Chi sei? – chiesi io, che ero ritornata nel mio corpo degli undici anni.

– Non mi riconosci? Sono tuo nonno, sciocchina – e si mise a ridere come un matto. – Ci tenevo a farti vedere il mio aspetto da ragazzo –. Schioccò le dita e... *puf*, magia, il ragazzo dai calzoncini corti lasciò il posto al nonno con il turbante.

– Dove siamo, nonno? – chiesi un po' stralunata da tutte quelle magie a cui non ero abituata.

– Ma davvero non lo sai? E dire che tra noi due sei tu quella nata a Roma.

– Uh, siamo ad Hamar… o Mogadiscio come la chiamano quasi tutti.

– Ma che dici?! Questa è Roma – rispose secco il nonno.

– Certo ma… È così che i somali, tra cui i miei genitori, chiamano la stazione Termini di Roma, la stazione da dove partono i treni: Mogadiscio.

Per una volta fui io a spiegare al nonno che i migranti, soprattutto somali, alla stazione Termini si trovano a casa fin dal 1970, quando la prima ondata arrivò in Italia. Arrivarono anche molte donne capoverdiane e famiglie dall'Eritrea.

– Si illudono che in un posto pieno di valigie come la stazione sia facile decollare per ritornare a casa. Lo so che qui non si decolla, ci sono i treni, mica gli aerei, ma sai, si vola con la fantasia. Quindi i somali, i loro negozi, le loro chiacchiere le trovi qui, vicino alla stazione, perché da qui puoi partire, da qui Mogadiscio non sembra così lontana da Roma!

– Capisco – sussurrò serafico il nonno. Poi con il dito mi indicò un monumento non tanto lontano dalla piazza della stazione. – Andiamo lì – mi spronò e io lo seguii felice verso quel punto imprecisato che continuava a indicare con il dito. In realtà il nonno sapeva benissimo dove mi stava portando. E forse una parte di me pure sapeva.

E fu così che ci piazzammo davanti a una stele nascosta da qualche albero e una distesa di bancarelle fatiscenti in un viale che dalla stazione Termini si tuffava nell'oceano di piazza Esedra.

– Perché siamo qui, nonno? Perché proprio davanti a questa stele?

– Perché ha una storia strana, non trovi?

– Sì – mormorai.

– Stranissima. Prima si trovava davanti alla stazione, poi l'hanno spostata qui in epoca fascista, in questo vialetto. Per molti anni davanti alla stele c'è stato anche un leone, rubato all'Etiopia nel 1936. Poi un giorno del 1970 è stato restituito grazie a un bravissimo politico italiano che si chiamava Aldo Moro, e poi...

– E poi cosa?

– E poi i romani e le romane si sono dimenticati che esiste questo monumento. Non lo guardano mai. Non si fermano quasi mai a mostrarlo ai turisti. E i turisti, questo monumento, non lo capiscono granché perché non è Rinascimento, non è antica Roma, cosa diavolo è? E siccome non sembra bello o interessante... se ne vanno via!

– Trovi che sia brutto?

– Non è bello, va detto. Ma è importante. Sarebbe importante che la gente lo guardasse di più.

– E perché? – La mia voce era sempre più stridula, sentivo l'emozione di chi sta per conoscere un segreto che può cambiare una vita.

– È importante perché mostra che il colonialismo è esistito prima del fascismo di Benito Mussolini. Sai, la gente crede che il colonialismo italiano sia stato solo fascista, che insomma, solo Mussolini si sia rubato le torte... *Ops*, volevo dire le terre degli altri. Ma è stato preceduto, sai? L'Italia si era presa un pezzo di Africa e ne ha fatto ciò che voleva molto prima.

La battaglia di Dogali è del 1887 e l'inaugurazione di questo monumento, a essa dedicato, è avvenuta poco dopo. E Mussolini, di cui ti parlerò tra un po', nel 1887 aveva solo quattro anni.

Guardai il nonno con una certa curiosità e ammisi pure io che la povera stele è bruttina.

– Tra le altre cose questo mi permette di raccontarti di quando ho lasciato Brava e l'emporio di mio padre.

Sai, la Somalia diventa colonia italiana a pezzettini. Gli italiani prendono prima un pezzo di costa, poi uno vicino al fiume, poi uno su un altopiano, poi un altro pezzetto più su, poi più giù... Alla fine in vent'anni si prendono tutta la Somalia. Brava e Mogadiscio sono state tra le prime città colonizzate dagli italiani. Quando avevo dieci anni, nel 1909, eravamo già colonia. Qualche anno dopo lasciai la casa di mio padre: non sapevo nulla del mondo, ma mi avventurai con l'incoscienza di quando sei ragazzo e vuoi vedere tutto.

Avevo litigato con mio padre, nipote. E ora se ci penso mi dispiace tanto. Non si dovrebbe mai litigare ferocemente con i propri genitori. Te ne penti sempre. Ma allora sentivo che mio padre mi voleva tarpare le ali e temevo di esaurire i miei giorni vendendo coni di carta pieni di zucchero e spezie. No, io mi meritavo di più, accidenti! Volevo di più!

«È Elias ad averti messo queste strane idee in testa, figlio? Guarda che lo so» mi disse un giorno papà, dopo una delle nostre tremende discussioni quotidiane.

«Ma che dici? No, padre.» Era una menzogna: era stato proprio mio cugino Elias a mettermi quelle idee in testa. Non mi chiedere che grado di cugino fosse, perché sai come funziona da noi in Somalia: siamo tutti cugini di qualcuno e zii di qualcun altro. Tutto è talmente intrecciato che a volte penso che i somali siano un'unica grande famiglia che si è data nomi differenti.

Elias era molto più grande di me, ma molto più giovane di mio padre. Aveva i capelli rasati, una faccia gioviale, guance piene e occhi vispi. Quando veniva da noi era in divisa: calzoncini corti, giacca militare e quel cappellino con un fiocco rosso che sporgeva dal lato superiore, il fez.

Veniva per salutarci e invece del solito "*Assalamu Aleikum*", che la pace sia con te, ci faceva un saluto militare. Elias infatti era un soldato, e non uno qualsiasi, ma un soldato coloniale ingaggiato dagli italiani.

Tutte le guerre e le operazioni militari dell'Italia in Africa erano portate avanti dalle truppe locali, gli ascari. La parola "ascaro" non a caso derivava dall'arabo *askar*, soldato. Era tipico delle società coloniali avere truppe del luogo, e l'Italia non faceva eccezione. Ma io tutte queste cose non le sapevo ancora. Non sapevo nulla. Non sapevo che Elias era un ascaro. Vedevo solo che era sempre pieno di soldi e che tutti a Brava lo rispettavano.

Tutti tranne mio padre, che diceva: «Elias è un venduto, tradisce la sua gente con questi qui che ci hanno preso il paese».

A mio papà gli italiani, quelli che per me erano esseri alieni e magici, non piacevano. E non gli piaceva nemmeno che qualcuno comandasse a casa sua. Non gli piaceva che la sua Brava fosse una colonia. Ma io non vedevo tutte queste sottigliezze che vedeva lui: io vedevo solo il cugino Elias che aveva tanti soldi ed era bello nella divisa marrone da soldato. Io pendevo dalle labbra di quel cugino che a ogni visita portava regali.

«Questo è per te!» mi disse in quella sua ultima visita, che mi cambiò la vita. «L'ho preso a Tripoli.»

Era un piccolo pugnale, con un'impugnatura piena di ricami. Non avevo mai avuto qualcosa di tutto mio ed ero emozionato. Certo non sapevo che farmene di un pugnale, non mi sfiorava l'idea di usarlo, ma quell'impugnatura era così bella...

«C'è un leone disegnato sopra!» dissi, entusiasta.

«Ti servirà nella tua nuova vita. Saresti un perfetto soldato degli italiani.»

Io non risposi. Ma lo fece mio padre al posto mio: «La vuoi finire di mettere strane idee in testa a mio figlio?».

«Lo sto solo preparando alla vita vera» replicò il cugino. «Tu lo vuoi tenere protetto nel tuo bell'emporio, a vendere cianfrusaglie per i bravani, ma lì fuori, lo sai bene, abbiamo dei padroni e noi siamo soltanto i loro sudditi. Dobbiamo obbedire a chi è più forte di noi. E allora meglio adattarsi. Lavorare per loro. Gli italiani sanno essere molto generosi.»

Continuarono a discutere, finché il cugino Elias se ne andò sbattendo la porta.

«Non verrà mai più da noi» mi disse mio padre.

E io ne fu atterrito. La mia vita mi sembrava

vuota senza i racconti strampalati e magici del cugino Elias e senza i suoi consigli. «Andare a vivere a Mogadiscio» mi diceva. «Ecco cosa ti ci vorrebbe. Vivere nella città con più italiani della Somalia, trovare lavoro e liberarti.»

Ero triste ora che Elias era stato cacciato.

Fu così che meditai di scappare. Tre mesi dopo presi coraggio e lasciai Brava e la casa di mio padre. Direzione Mogadiscio.

Direzione Futuro.

– Cosa ci faceva tuo cugino Elias in Libia?

– Nel 1911 gli italiani fecero una guerra contro la Turchia per prendersi la Libia. Volevano una colonia più vicina a casa e, siccome tutte le altre erano state prese dai francesi e dagli inglesi, l'Italia aveva puntato la Libia.

– Prese? In che senso?

– Ti sei dimenticata forse la spiegazione che ti ho dato? L'Europa si rubava le terre degli altri e poi diceva che erano sue. Come la torta nella vetrina del pasticciere: l'Europa è quella che spacca la vetrina e si ruba la torta. Tutti i paesi europei avevano colonie, la Francia, la Gran Bretagna, il Belgio, la Germania, e l'Italia non voleva essere da meno.

– Ma cosa c'entra tuo cugino Elias? Perché era andato con gli italiani a fare la guerra?

– Perché l'Europa aveva imparato che mettere un africano contro un africano era molto vantaggioso. Perché nessuno si sarebbe alleato contro di lei. *Divide et impera*, che significa "dividi e comanda". E l'Italia fece così. Siccome l'Eritrea è stata la sua prima colonia, usava i soldati eritrei per combattere i libici. E poi quando ha dovuto conquistare l'Etiopia, ha usato somali ed eritrei. Era un modo per mettere gli uni contro gli altri.

– E il cugino Elias non si sentiva in colpa?

A questo il nonno non rispose, come se la domanda lo mettesse a disagio.

Non la rifeci.

– Dai! – mi disse lui, che moriva dalla voglia di cambiare argomento. – Prima che ti svegli dal sonno e fai finire bruscamente anche questa passeggiata, voglio raccontarti di come sono andato a lavorare dagli Sperandio...

– E chi sono gli Sperandio?

– Sono i primi italiani che ho visto in vita mia.

A Brava di italiani non ne avevo mai visti, nemmeno uno. Ne avevo sentito parlare, certo, te l'ho già detto. Ma vedere... giuro: nessuno! Come si dice in somalo: *nakata*.

Quando arrivai a Mogadiscio, dopo un viaggio avventuroso, chiedendo passaggi a dorso di mulo o camminando senza arrendermi mai, morivo dalla voglia di vederne uno. Ero talmente curioso, sapessi.

Era stato facile trovare il cugino Elias: lui era molto conosciuto in città e mi aiutò per i primi tempi. Vivevo da una sua sorella che aveva quattro figli e le davo una mano a curarli e a tenere in ordine la casa. Non mi piaceva granché avere a che fare con le cacchette e le puzzette dei neonati, mi sembrava anche peggio del lavoro all'emporio con papà, e cominciavo a domandarmi se non avessi fatto uno dei più grossi errori della mia vita a lasciare Brava. Mi mancava l'oceano che ruggiva al tramonto, mi mancavano i miei amici con cui ci rincorrevamo per le strade, mi mancavano persino l'emporio e quel suo tranquillo tran-tran di signore che compravano lo zucchero o la cannella.

A casa della sorella del cugino Elias era un disastro. Quei bambini piccoli, però, erano molto simpatici: con le loro guanciotte tonde tonde, avevano un odore simile a quello del cetriolo. Ma la cosa che mi scocciava di più era stare chiuso in casa. Infatti, pur essendo a Mogadiscio, non avevo tempo per visitare la città.

Poi un giorno il cugino Elias arrivò, mentre stavo dando la pappa a uno dei piccoli.

«Grande notizia, Omar. Ti ho trovato lavoro dagli Sperandio. Sono italiani. Sarà bellissimo.»

Non mi rivelò nessun altro dettaglio. Ma una cosa la sapevo: finalmente avrei incontrato degli italiani.

Ero emozionato. Come sarebbero stati? Mi immaginavo esseri luminosi, stratosferici, fantascientifici. Brillanti come una cometa nel cielo... Poi ho visto per la prima volta il mio datore di lavoro, il mio primo datore di lavoro – il signor Adalgisio Sperandio di Torino, Piemonte, Italia – e confesso che ci sono rimasto un po' male.

Il cugino Elias mi aveva detto che gli italiani erano forti, potenti, altissimi, bellissimi.

Pensavo che, visto che erano i padroni di Brava e di Mogadiscio (il resto della Somalia sarebbe stato colonizzato tra il 1909 e il 1928), gli italiani dovessero essere i più belli di tutto il creato. Invece quando il signor Sperandio mi si parò davanti con la sua faccia butterata, simile a una melanzana, e il corpo a forma di cetriolo, stentai a credere ai miei occhi. Quel coso buffo era davvero un italiano? Non ci stavo capendo proprio niente. Che delusione!

Ma non dissi nulla e non feci smorfie. Rimasi invece ritto in piedi davanti a Elias che parlava con il signor Sperandio in quella lingua, l'italiano, per me ancora sconosciuta.

Con gli occhi fissi al suolo sembravo proprio uno di quei ragazzi timidi davanti al futuro datore di lavoro. Timidi e pronti a obbedire. Mentre la verità era che mi scappava da ridere. Quindi dopo aver guardato il signor Sperandio, all'inizio, decisi di non guardarlo più. Anche perché nonostante fosse un uomo un po' ridicolo, volevo comunque il lavoro che mi offriva. Non ne potevo più di stare dalla sorella di Elias. I bambini mi stavano sfinendo.

Il signor Sperandio mi scrutò dalla testa ai piedi. Poi mi si avvicinò, mi toccò la fronte e mi misurò il cranio con le dita. Bofonchiò qualcosa per me incomprensibile, diede una pacca sulle spalle a Elias, che fece il saluto militare, e poi sparì in quella grande casa da dove era sbucato un attimo prima. Solo allora guardai il cugino e chiesi: «Allora? Mi ha preso?».

E il cugino Elias: «Certo, comincerai domani».

La sera a letto, però, pensai a quello strano

incontro. Perché mi aveva toccato la fronte? Perché misurarmi il cranio con le dita? Che significavano quei gesti? Brancolavo nel buio. Ci pensai quasi tutta la notte, mi addormentai alla vigilia della preghiera dell'alba (la prima preghiera per ogni musulmano) e la sorella di Elias mi svegliò a suon di pedate, dicendomi: «Disgraziato, non solo non ti alzi per la preghiera, ma nemmeno mi aiuti a fare la colazione per i bambini. Sei proprio un fannullone. Se ne accorgeranno gli italiani. Vedrai che ti cacciano a calci!».

Ricordo che ringhiai come un cinghiale imbufalito, ma non dissi nulla, mi alzai dal letto e replicai con una certa stizza: «Non mi vedrai mai più, non ti preoccupare, non mi farò licenziare».

La sorella di Elias, che evitavo di chiamare "cugina" anche se lo eravamo, mi stava davvero antipatica. Era sempre lì con l'aria da padrona, di una che ti sta facendo un favore e te la vuol far pure pagare per questo. Non ci piacevamo per niente. Ma ammetto che mi dispiacque un sacco lasciare i suoi figli. Eh, sì, eravamo diventati amici, io e quei pupattoli. A furia di cambiare i pannolini e dare loro le pappe, mi ero davvero affezionato. Quelle quattro pesti mi sarebbero mancate. Prima di andarmene li abbracciai forte forte e da fratello maggiore, perché mi sentivo così, li benedissi e augurai loro un futuro bellissimo.

Il mio futuro invece era incerto. Stavo andando in una casa bella e grande, larga più del ventre di una balena, ma piena di misteri. Almeno per me. Che significavano quelle dita del signor Sperandio sulla fronte, era forse uno stregone? Mi aveva fatto una magia o il malocchio? Che paura. Con il corpo che mi tremava come gelatina feci il mio ingresso nella casa degli Sperandio.

Mi venne ad accogliere una signora somala di nome Malika, che tutti in casa chiamavano Regina. Mi disse: «Io sono la *boyessa* della casa e tu sarai il piccolo *boy*».

La guardai come i pesci guardano l'amo che potrebbe ucciderli, perplesso e spaventato.

«“Boyessa”? Che significa? Questa parola mica è somala.»

La donna cominciò a ridere come una matta.

«Si vede che arrivi dalla provincia. Nemmeno conosci le parole moderne. Domani verrai al mercato con me. Ora ti porto nella stanzetta dove vivrai. Si trova sui tetti, piccola e carina. Vedrai.»

Quanto l’ho amata quella stanza! Sai, nipote, non avevo mai avuto una stanza tutta per me. Ero sempre stato in mezzo a un caos di fratelli, cugini, ospiti casuali che venivano a lavorare per un po’ all’emporio con noi. Poi a Mogadiscio c’erano stati i neonati della sorella di Elias. Invece ora dagli Sperandio avevo una finestrella, un tavolino, una sediola gialla che era proprio un amore e una branda. Il paradiso! Avevo un posto dove pensare, prepararmi al futuro, sognare.

Malika mi disse che quel giorno potevo starmene nella stanzetta e che l’indomani avrei cominciato a lavorare e aggiunse: «Qui, ragazzo, si lavora duro».

Ed era vero. Poi mi disse che "boy" era una parola inglese che significa ragazzo, e che gli italiani lo usavano come sinonimo di tuttofare.

«Hanno preso questa parola inglese e l'hanno italianizzata. Il femminile di *boy* è *girl*, ma i primi italiani che sono venuti qui in Somalia non lo sapevano, quindi hanno messo un suffisso femminile alla parola. Ecco perché io, donna, sono una boyessa e tu un boy. Io sono la tuttofare: cucino, pulisco, do gli ordini ai ragazzi come te, pelo patate, faccio il bucato, accompagno la signora in città.»

Quella fu la prima parola italiana che imparai veramente, e – pensa un po', nipote – non era nemmeno una vera parola italiana. Oggi in somalo boyessa indica il mestiere della domestica, ma ha un suono brutto e a nessuna somala piace essere chiamata così, anche se continuiamo a usarla, ahimè.

Non dovremmo, sai? Dentro questa parola c'è tutta la nostra sottomissione ai padroni, all'Europa che si era pappata la nostra Africa. Quindi io preferisco che si usi *shakale*, ovvero lavoratore, sia per gli uomini sia per le donne. Ma a quell'età non ero un uomo orgoglioso come sono oggi, ero solo felice di aver lasciato l'emporio di papà, felice di essere indipendente. Che il colonialismo fosse una cosa da egoisti e che ci stesse facendo del male lo capii solo dopo, da adulto.

Comunque, diventai un boy a casa degli Sperandio. Cominciai presto a pelare patate, mondare carote, lavare lattughe, tagliuzzare lo spezzatino che avrebbero mangiato per pranzo.

A proposito, hai notato, nipote, che ne parlo sempre al plurale? Be', erano in quattro. Il signor Adalgisio, l'uomo melanzana, la signora Rosamunda, lei sembrava piuttosto un cavolfiore, e i figli Ippolito e Adalberto, due cavoletti di Bruxelles. Assomigliavano tutti a qualche verdura!

Oggi sarebbero definiti "vecchi coloniali", per distinguerli dagli italiani che sono venuti dopo, ovvero i fascisti di Benito Mussolini. Ma non voglio parlartene ora, è troppo presto. Arriverà il momento. Quando sono andato a lavorare dal signor Adalgisio il fascismo ancora non esisteva. Nacque dopo, nel 1919 e prese il potere con la famosa marcia su Roma del 1922, per sconquassare il mondo con cattiverie, ricatti, deportazioni, e poi, in alleanza con la Germania di Hitler, la Shoah e una guerra mondiale, la seconda, che il mondo ancora ricorda con terrore.

★ Però una cosa va detta, e voglio che tu, nipote, te la metta in testa proprio per bene: se il fascismo non esisteva ancora, esisteva, e da tanto tempo, il colonialismo. L'Italia ne ha fatto parte ben prima di Mussolini. Hai mai sentito parlare della Conferenza di Berlino del 1884? Conosci l'espressione "*Scramble for Africa*"?

Be', lo Scramble for Africa, ovvero detto in italiano la corsa per l'Africa, fu sancito proprio in quella conferenza a Berlino.

Detta così potrebbe anche sembrare una bella cosa: correre sgomitando per amarla, aiutarla, abbracciarla. Potrebbe dare l'idea di qualcosa di positivo. Ma invece quel "correre" nasconde la furia delle nazioni europee per accaparrarsi i territori dell'Africa, rubandola agli africani.

È un fenomeno che non ha risparmiato quasi nessuno: in ogni angolo del continente c'era qualche europeo che rivendicava di essere padrone di un lago, di un fiume, di una valle, di una montagna, di un ruscello, di una savana, di un albero, di una casa, di una città, di una regione. Era un po' come dire: voi africani che vivete qui siete inutili, la terra serve a noi europei, quindi vi togliamo i diritti e lo possiamo fare perché abbiamo più armi, e se volete rimanere dove sono nati i vostri antenati, potete restarci, ma alle nostre condizioni. Ovvero noi siamo i padroni, voi siete solo i nostri servi, sudditi, sottomessi.

Questo di fatto è stato deciso alla Conferenza di Berlino: come spartirsi la torta. Eh, sì, scusa se ritorno sullo stesso esempio, ma se il colonialismo è la torta rubata al pasticciere, i ladri della torta sono tanti e non se la sono spartita pacificamente, ma con una certa irruenza, se non addirittura violenza. L'Italia non voleva altro che partecipare alla spartizione. Ed è così che l'Italia è diventata un paese colonialista.

Sai, nipote, quali erano le colonie italiane in Africa? La Libia, la Somalia e l'Eritrea. Poi Benito Mussolini fece una guerra alla libera Etiopia per aggiungerla alle colonie, ma l'Etiopia non diventò mai veramente una colonia, piuttosto subì un'occupazione militare. Ma ne parleremo dopo. Ora ti devo parlare degli Sperandio...

5

Il signor Adalgisio non c'era quasi mai. Fuori città aveva una piantagione di banane che gli fruttava tanti soldi. Era ricco, il signor Adalgisio, ma si vestiva male, almeno così diceva sempre la signora Rosamunda: «Ti vesti come un contadino. È così che dai l'esempio a questi selvaggi a noi sottomessi?».

Parole che all'inizio del mio lavoro presso di loro non capivo, ma a mano a mano che imparavo la lingua italiana, capivo eccome, e mi facevano arrabbiare. Non eravamo selvaggi, non eravamo "senza cultura" come sosteneva la signora Rosamunda, che ci considerava (e nella fattispecie considerava me, il boy di casa) pigri, svogliati, con la testa fra le nuvole, ladruncoli, arroganti, stupidi, e poi aggiungeva: «Per fortuna che almeno questi somali non sono brutti come quei congolesi visti all'esposizione».

Fu allora che fermai il nonno e il suo narrare.

– Esposizione? In che senso?

E lui: – Mica facile come domanda... E adesso da dove comincio?

Il nonno prese un bel respiro e mi spiegò.

Nell'Ottocento e per una buona parte del Novecento le esposizioni andarono molto di moda. A cosa servivano? Be', le nazioni europee mettevano in mostra tutto ciò che facevano: le invenzioni, le scoperte scientifiche, i manufatti culturali, insomma, tutte le cose da cui una nazione si aspetta un sacco di applausi. Purtroppo tra queste cose importanti, ed è qui che la storia si fa davvero brutta, c'erano anche i prodotti delle colonie. Tutto quello che l'Europa si era presa. Insomma, c'era la torta del pasticciere. Dai fagioli alla gomma, dai paramenti sacri alle pelli di leopardo.

C'erano persino le persone. In carne e ossa. Prendevano persone da terre lontane, non solo dalle proprie colonie, e le mettevano in gabbia. Così la gente d'Europa che aveva pagato il biglietto poteva osservarle.

Come allo zoo.

Uno zoo umano.

La signora Rosamunda, quando parlava di congolesi all'esposizione o parlava di selvaggi, si riferiva a questi uomini in gabbia. E in gabbia ci sono finiti un po' tutti. Dai lapponi ai nubiani, dagli eschimesi ai *gauchos* argentini, dai nativi americani ai somali, dagli ashanti alle guerriere del Dahomey, dai giamaicani ai samoani. Insomma, nessuno escluso. Gente messa in gabbia per il puro divertimento dei bianchi europei, che si sentivano superiori.

Già, c'era questa teoria che i bianchi erano superiori ai neri e a tutto il resto del creato. Se eri un po' colorato, per chi si considerava bianco eri inferiore. E più eri colorato, più eri considerato stupido. Per questo quando sono arrivato a casa loro, il signor Sperandio mi ha misurato il cranio con le dita, premendole sulle tempie. Voleva assicurarsi che fossi nero per davvero e, secondo la sua logica, stupido per davvero.

Lui, come tanti uomini del suo tempo, seguiva le teorie di Cesare Lombroso e di altri pseudo-scienziati dell'epoca, che vedevano nelle nostre differenze ossee e di pelle anche una differenza morale e di intelligenza. Sperandio era convinto che, siccome noi di Brava avevamo la fronte più alta della sua, eravamo più stupidi e pronti a essergli sottomessi. E considerava le persone più scure ancora più stupide. Faceva una specie di classifica dei suoi lavoranti: più scuri si era, più stupidi si veniva giudicati. Disgustosa classifica.

– Ma, nonno, è terribile. Lavoravi da qualcuno che ti credeva stupido! – esclamai dopo aver ascoltato il suo racconto. Ribollivo di rabbia.

– Sì, poi lui in particolare giocava allo scienziato dilettante. E quando ho imparato bene la lingua mi diceva: «Tu, caro Omar, non sei stupido come gli altri. Hai avuto la fortuna di avere la pelle chiara e il cranio con solo due fossette. Sei chiaramente un essere inferiore, un servo dal primo giorno in cui sei nato, e servo sarai per sempre. Voi neri non potete aspirare a niente di più, ma meno male che, insomma, qualcuno ti ha lasciato sangue bianco in famiglia. Saranno stati i portoghesi? Be', quel sangue ti salva. Farai carriera come boy, potresti un giorno anche diventare maggiordomo».

– Come facevi a lavorare con uno che insultava te e tutta la tua gente? Non ti faceva arrabbiare?

– Certo, ma era la struttura in cui eravamo che non mi permetteva di trovare alternative. Anche se me ne fossi andato, lontano dalla casa del signor Sperandio, ne avrei trovato un altro uguale identico. E anche lui mi avrebbe misurato il cranio con le dita ed esaminato i denti come se fossi un cavallo.

Eravamo una colonia, nipote. Dovevamo obbedire a chi aveva rubato la nostra terra prima che nascessimo.

– Per me questa cosa è proprio difficile da capire: se vi trattavano male dovevate reagire.

– Lo so. E qualcuno lo ha fatto, ma non eravamo uniti: loro, i colonizzatori, avevano più armi. Insomma, prima di liberarci dalla colonia e dal colonialismo ce n'è voluto. Quando c'è una forza brutale che ti sovrasta, non tutti riescono a fare gli eroi, a reagire, a liberarsi. A volte succede che accetti le cose come stanno. E speri che il domani sia migliore, diverso. E speri che qualcuno ti salvi.

– Tu non ti sei ribellato mai?

– No. Né da piccolo, né quando è arrivato il fascismo. E ora, sai, mi pento di tante cose fatte. Ecco perché ti sto raccontando tutta la mia vita. Vorrei mi capissi. Non mi odiassi.

– Ma non ti odio, nonno. Penso solo a quante umiliazioni, quanti rospi belli grossi hai dovuto ingoiare! Mi dispiace tanto che le cose siano andate così.

– Del resto pensa a cosa c'era stato prima, agli assabesi...

– Chi sono gli assabesi?

– Guarda, è una storia strana. Ogni volta che il signor Sperandio me la raccontava mi sentivo umiliato. Allora... Torino, parco del Valentino, anno 1884. C'era una volta...

★ In occasione dell'Esposizione generale italiana di Torino del 1884 fu portata in città una delegazione di assabesi, dalla baia di Assab, una città portuale dell'Eritrea che si trova nella regione della Dancalia Meridionale, sulla costa occidentale del Mar Rosso.

Assab era il primo possedimento italiano in Africa: l'Italia l'aveva letteralmente acquistato dai sultani, con un regolare contratto, nel 1882.

All'inizio l'Italia non annuncia di aver comprato un pezzettino di terra, ma poi dichiara al mondo intero che anche l'Italia vuole "sgomitare per l'Africa" e vuole un suo pezzo di colonia. In seguito l'Italia si prenderà tutta la zona, chiamandola Eritrea, che diventerà a tutti gli effetti la prima colonia italiana. Il signor Sperandio mi ha raccontato questa storia degli assabesi migliaia di volte. Se vai a Torino oggi, troverai un sacco di pasticcerie che ti vendono gli assabesi. Sono biscotti di frolla montata al cioccolato e, ti assicuro, sono buonissimi. Ti si sciolgono in bocca. Ma *assabesi* in Italia sono anche chiamate le caramelle gommose alla liquirizia a forma di mille facce divertenti, che però quando conosci la storia divertenti non sono più. Pure quelle, se ti piace la liquirizia, ti si sciolgono in bocca.

Sia i biscotti sia le caramelle prendono il nome da questo gruppo di persone (una donna, due bambini e tre uomini) arrivate a Torino dalla baia di Assab. Gli organizzatori dell'esposizione volevano stupire i torinesi. Avevano infatti riempito la manifestazione di cose fantasmagoriche, incredibili, da perderci la testa. C'era il pallone aerostatico *Godard*, che volava come un gabbiano per i cieli di Torino, il serraglio Bidel con i suoi animali feroci che facevano paura alla gente, e il funambolo Blondin che, tutto incappucciato, fu sospeso sulle acque del Po come un pendolo, così che quando lo vedevano da lontano era tutto un: «Uhhh ma non avrà mal di testa?». O: «E se cade?».

Blondin era tra le attrazioni più amate. Se non ci fossero stati gli assabesi, avrebbe stravinto la palma del preferito nei cuori dei torinesi. Ma gli assabesi c'erano e la palma dei preferiti la vinsero loro. Ogni volta che pronunciava i loro nomi, il signor Sperandio si illuminava tutto. Mi diceva: «Omar, smetti di lavorare, che ti devo raccontare di loro».

Ne parlava come se fossero stati amici di famiglia carissimi.

«Sono i primi neri che ho visto in vita mia, che spettacolo. Avevo nove anni.»

Io non gli dissi che lui per me era stato il primo bianco, ed era stato una completa delusione.

La donna si chiamava Kaliga o più probabilmente Kadija. Lo so che stai per dirmi che anche tua madre si chiama Kadija, è un nome arabo molto diffuso in Africa Orientale e nei paesi arabi, in generale musulmani. La prima moglie del Profeta, che Dio lo abbia in gloria, si chiamava così. Poi c'era un ragazzone, che tutti chiamavano "principe", Abdallah Ibrahim. Dicevano che fosse il nipote del sultano di Margableh, la città più importante dopo Assab. Con lui c'erano il capitano della guardia del corpo Kammil e il commissario della zona, Garita, il più vecchio del gruppo. Kadija era la moglie del commissario. I due bambini erano figli di Garita, ma non di Kadija, e si chiamavano Ali e Mohamed.

Un bel gruppetto. Erano stati scelti perché erano persone curiose e avevano accettato di fare un viaggio all'estero. Insieme a loro c'era un signore italiano, Arturo Tarchi, una specie di accompagnatore, mediatore, traduttore. Non li lasciava soli un attimo. Doveva controllare tutto e far sì che il gruppo accettasse ciò che l'organizzazione dell'esposizione aveva in serbo per loro.

Ma, ecco, ci furono tanti problemi. Questo il signor Sperandio non me lo disse. Lo scoprii da solo, nipote. Studiando nelle biblioteche, anni dopo, quando il colonialismo era finito. Il gruppo non voleva dormire nelle capanne fredde che l'organizzazione aveva allestito al parco del Valentino e non voleva essere mostrato al pubblico come un branco di belve feroci. Prima del viaggio non avevano capito che sarebbero stati esposti come oggetti o come tigri in gabbia. Era umiliante! Non volevano prestarsi. Ma l'organizzazione li pregò in ginocchio, anche perché c'era già tanta gente in fila da giorni, curiosa di vederli. Nessuno aveva visto dei neri africani dalla pelle scura, scurissima. Tutti a Torino si domandavano: «Come sarà?».

Io mi sono chiesto per anni cosa avessero promesso a quel gruppo di assabesi per farsi esporre come capi di bestiame. Forse soldi, concessioni al paese d'origine, case... non so. Sta di fatto che il gruppo cedette alle pressioni degli italiani e si lasciò esporre. Ed è allora che Torino vide gli assabesi.

«Erano così strani» mi disse in uno dei suoi mille racconti il signor Sperandio. «All'inizio dissi a mia mamma che non sembravano così diversi da noi. Ma poi quello che era il guerriero del gruppo, Kammil, cominciò a ruggire come una tigre e ne ebbi una paura matta. Erano davvero dei selvaggi.»

Chissà come convinsero il buon Kammil a esagerare le sue reazioni. Io ho pensato che il gruppo di africani, trovandosi in quella situazione bizzarra, abbia deciso di divertirsi alle spalle di tutta la gente che era andata a vederli come se fossero strane creature tropicali. Solo che gli spettatori potevano anche essere molto fastidiosi. Disturbavano sempre Kadija, la volevano toccare dappertutto e lei passava il tempo a dare schiaffetti a tutti. Kadija, questo me lo ha detto il signor Sperandio, aveva chiesto un abito occidentale, con le balze a righe.

Aveva freddo nel parco in cui li avevano messi, e almeno quel vestito era più adatto al clima torinese rispetto alle sue belle stoffe assabesi.

So inoltre che una cosa che diede molto fastidio agli assabesi furono le fotografie. Era come se qualcuno volesse strappar loro anche la pelle. La fotografia era minacciosa, perché non solo osservava, ma catturava l'istante. E insomma, non ne furono felici. Nelle foto, infatti, hanno tutti il broncio.

Per fortuna non potevano leggere i giornali, se no si sarebbero arrabbiati ancora di più: vennero descritti come stupidi, selvaggi, cannibali, bestie. Erano queste le parole che usavano i giornali. Parole brutte, che quando dovevano descrivere Kadija diventavano bruttissime, perché devi sapere che il colonialismo è stato brutto per tutti, ma per le donne di più.

Insomma, di quell'esposizione forzata nella memoria della città di Torino sono rimasti biscotti e liquirizia, ma se ci pensi non è una bella cosa. Usare il nome di un popolo per indicare un biscotto fatto di cioccolato, che come tutti sanno è molto scuro... è un po' razzista, non trovi, nipote? Come se si volesse trasformare chi subiva la colonizzazione in qualcosa da mangiare, masticare, digerire.

Facci caso, ci sono tanti cibi che si richiamano ai nomi dell'Africa. Le pipe rigate chiamate "abissine", e poi tanti biscotti e tipi di pasta: dai "tripolini", alle "africanette"; poi ci sono i dolcetti "faccette nere" e quelli alla panna "negretti"; c'è il lucido da scarpe "Nubiano" e il digestivo "menelik". Pure al bar qui sotto casa, se chiedi un "marocchino", ti portano un caffè con il latte schiumato e nero.

Insomma, è una cattiva pratica chiamare il cibo con il nome dell'Africa; e non un'Africa qualsiasi, ma quell'Africa che è stata colonizzata. L'Europa chiamava cannibali gli africani, ma è stata lei a mangiarsi l'Africa a furia di negretti, africanette, assabesi e tripolini.

E quanta gente ha fatto soffrire...

6

Alla signora Rosamunda Sperandio non piaceva vivere in Somalia.

«Qui mi sento un carciofo in salamoia» diceva sempre al marito. «Ma quando torniamo in Italia? Nella nostra bella Torino?»

Lei non vedeva l'ora di tornare là. Non le importava che fosse piccola, la sua casa torinese. In più aveva tanta nostalgia della cioccolata calda sotto i portici e di incontrare le sue amiche di un tempo.

Si sentiva sola, in Somalia. C'erano pochissime donne in Somalia e in generale nelle colonie italiane. Il colonialismo era fatto dagli uomini. Alla signora Rosamunda mancava la compagnia femminile e le mancava andare a teatro. Ma il signor Adalgisio tergiversava. Diceva: «Domani, domani, anzi, sai che ti dico?, dopodomani».

Ma in realtà lui non aveva molta voglia di andarsene. L'idea di tornare a Torino in una casa piccola, al freddo, con il cappotto, la sciarpa e i guanti non era una prospettiva allettante. E nemmeno l'idea di una buona cioccolata calda sotto i portici gli piaceva poi tanto. Si era abituato al succo di pompelmo e ai frullati di papaia che gli regalava Mogadiscio.

In Italia lui era un signor nessuno, invece in Somalia era il colono, l'italiano con una casa grande come un palazzo, una bella piantagione di banane, tanti divertimenti e sole tutto l'anno. Gli piaceva essere ricco, gli piaceva tanto. Come tutti i coloni, anche il signor Sperandio non si faceva scrupolo a rubare le risorse di un altro popolo e schiavizzarlo. Ci chiamava "selvaggi", "inferiori", "cannibali", "brutte bestie" e nomi che davvero non si possono ripetere, condendo tutto con quella brutta parola con la N che non voglio nemmeno pronunciare.

Il signor Sperandio mi chiamava sempre con la parola con la N, e io a volte mi facevo così tanto il sangue amaro che mi veniva da piangere per la stizza. Tutta colpa del colonialismo, accidenti! Ricordati sempre, nipote, la torta del pasticciere, rubata ai suoi legittimi proprietari, e poi spartita.

Nipote, le vedi le ricchezze d'Europa? Le vedi come sono belle le città europee? I bei palazzi, i grandi musei, le strade luminose... sai da dove vengono? Mica solo dal lavoro degli europei, ma anche dal furto delle risorse dei paesi colonizzati. E, sai, l'Europa non ha nemmeno chiesto scusa per averci rubato la torta!

Qualche leader lo ha fatto, di tanto in tanto. Tipo Angela Merkel, la cancelliera tedesca, quando si è scusata perché i tedeschi all'inizio del Ventesimo secolo avevano ucciso tanti *herero*, un popolo che viveva nell'attuale Namibia: ha chiesto scusa, sinceramente, quasi le veniva da piangere.

In più il signor Adalgisio, oltre a papparsi la Somalia e a rubarci tutto, era anche un gran tirchio. Mi pagava così poco che a malapena mi bastava per vestirmi. Nei primi tempi cercavo di farmi andare bene il lavoro che il cugino Elias mi aveva trovato, ma dopo i primi quattro anni tutto mi era venuto a noia. Lavoravo tantissimo. Ero sempre senza energia, guadagnavo niente e mi vestivo di stracci. Odiavo stare dagli Sperandio. Non era quello il futuro che avevo immaginato per me.

E anche Mogadiscio, che era una bella città con quei suoi portici portoghesi e i palazzi arabi, non riuscivo a godermela. La vedevo sempre di corsa, tra una commissione e un'altra. Era tutto un: «Omar, vieni qui, Omar pulisci lì, Omar vai al mercato, Omar vai al circolo, Omar spediscimi una lettera, Omar apparecchia la tavola...». Ero una trottola!

Fra tutte le mansioni quella che odiavo di più era accompagnare il signor Sperandio a fare la caccia grossa.

Devi sapere, nipote, che il signor Adalgisio Sperandio, mio datore di lavoro, era un uomo molto vanitoso. Si vantava di sapere fare un sacco di cose, ma era un disastro in quasi tutto. Giocava a fare il falegname, il fabbro, l'orafo, l'atleta dilettante. Ogni settimana se ne usciva con un hobby diverso. E ogni settimana falliva miserevolmente.

Fu un giorno nefasto, per me, quando Sperandio scoprì la caccia grossa. Me lo ricordo ancora. Stavo portando a tavola le focacce per la colazione. E lui disse: «Omar, preparati andiamo a fare un bel safari». E così fu. Caricò la sua macchina di un sacco di roba, tra cui un fucile Mauser a ripetizione calibro 9, un cane con il muso appuntito e il corpo a chiazze (che chissà dove aveva scovato!), un ricambio per i giorni a venire e un grammofono che poi non usò mai.

Venne con noi un signore alto alto, di nome Geilani. Il signor Sperandio me lo presentò come «il mio tracciatore». Io naturalmente non avevo idea di cosa facesse un tracciatore. Capii solo dopo che il tracciatore è colui che durante la caccia scova e segue le tracce degli animali, è lui a fare tutto il lavoro. Il colonizzatore di turno doveva solo sparare all'animale. «Tutti in macchina» disse il signor Sperandio e fu così che tuo nonno Omar andò suo malgrado a fare la caccia grossa. Non mi sono mai piaciute le armi. Vedere quel fucilone che il signor Adalgisio Sperandio si era portato... Confesso: ero terrorizzato. Mi fa tremare le ginocchia anche ora, se ci penso. «Andiamo» mi spronò e poi, salutando la moglie, disse: «Ti porterò la testa di un rinoceronte, cara».

Io fui percorso da un brivido. Non capivo perché dovevamo andare a disturbare un rinoceronte che se ne stava bello e beato in mezzo alla natura, innocuo, sonnecchiante e poi ucciderlo e infine tagliargli la testa. Ma che divertimento c'era? Mi sembrava insensato. Ma ero un boy, un ragazzo a servizio di un colonizzatore annoiato che non vedeva l'ora di sparare agli animali della nostra Africa.

Il primo giorno di quella caccia grossa niente rinoceronte. Nemmeno il secondo. Anche il terzo finì a mani vuote. Fu allora che, visibilmente infuriato, il signor Sperandio se la prese con tutto ciò che aveva davanti. Successe il quarto giorno. Sparò a casaccio in cielo con la sua Mauser calibro 9. Un proiettile raggiunse un marabù che cadde dal cielo con un tonfo. I marabù sono strani, sembrano la versione zombie delle cicogne.

Dopo aver ucciso l'uccello, il signor Sperandio volle che io e il tracciatore lo prendessimo per le ali e facessimo una bella foto ricordo.

Io tremavo.

Quella bestia mi faceva pena e avevo anche un po' paura a toccarla. Scattare la foto fu una tortura. In generale devi sapere che gli italiani mi hanno fatto odiare la fotografia. Una cosa che ho davvero odiato del signor Sperandio era che faceva foto di tutto e tutti. Ogni volta che mi fotografava avevo l'impressione che, dopo aver rubato la Somalia, rubasse anche qualcosa a me. A ogni foto non richiesta sentivo un pezzettino di me che mi si staccava dal corpo.

Dopo quel primo trofeo, preso un po' per caso, dovevi sentire come si vantava con i connazionali al circolo: «Avete visto che ali? Ecco ora che ho preso questo marabù, sono pronto a stanare un rinoceronte». Poi aggiunse qualcosa per me incomprensibile: «Così vendicherò Adua».

Soltanto in seguito scoprii che Adua era una battaglia che gli italiani avevano perso contro gli etiopi nel 1896, nei pressi dell'omonima cittadina del Tigray, in Etiopia. Nessun paese europeo aveva perso una battaglia contro un esercito africano. Nessuna nazione europea, prima di Adua, era stata sconfitta militarmente. La cosa strana è che, dopo quella battaglia persa malamente, molte bambine italiane furono chiamate Adua. Era un nome molto diffuso a fine Ottocento e a inizio Novecento.

L'Italia fu battuta da etiopi valorosi che difendevano la loro terra dall'invasione italiana. E questo fece capire a molti popoli colonizzati che Davide poteva battere Golia. Che al colonialismo non solo si poteva, ma si doveva resistere.

Adua è ancora oggi molto importante per l'Etiopia: pensa che sulle vetrine dell'aeroporto di Addis Abeba ci sono i ritratti dei vincitori di Adua.

Ecco a cosa pensava il signor Sperandio andando a caccia. Ogni volta che dovevo accompagnarlo mi sentivo male. Mi sentivo complice di chi voleva distruggere la natura e per di più per gioco, non certo per procacciarsi il cibo. Era davvero troppo per me!

Il signor Sperandio intanto prendeva sempre più dimestichezza con il suo Mauser e ormai si sentiva a casa sui terreni brulli della savana. Si portava dietro più tracciatori, una muta nutrita di segugi, più fucili, più vivande per stare fuori il più a lungo possibile. Aveva anche un corno rosso. Lo portava al collo, come una collana, e diceva che serviva a scacciare il malocchio.

Ogni volta io e tutti gli altri lo seguivamo mentre

annusava tracce, intercettava branchi di antilopi o semplicemente si accasciava al suolo per non farsi vedere dall'animale che intendeva prendere. Io tifavo sempre per gli animali, volevo che si salvassero da quel fucile che il signor Sperandio puntava su di loro. Non potevo proferire parola, ma a volte cercavo il modo di avvertire quelle povere bestie dell'imminente pericolo, ma pur stando dalla loro parte non riuscii a salvare tanti bufali, facoceri, dik dik, leoni, leopardi. Che tristezza provo ancora. Ma sono felice di essere riuscito a salvare almeno un rinoceronte.

Era un venerdì. Il cielo era limpido. Non pioveva da giorni. Situazione ideale per la caccia.

Dopo aver inseguito il grosso animale tra sterpaglie e terricci smossi, quando il signor Sperandio e i tracciatori erano pronti a sparare, io feci finta di cadere e urlai. Il rinoceronte captò il pericolo, idealmente mi ringraziò e se ne scappò, con mia grande felicità, nella direzione opposta. Certo io fui rimproverato, messo in punizione, quel mese non ricevetti nemmeno la mia misera paga e insomma, la mia vita già complicata divenne complicatissima. Ma ero felice di aver salvato il rinoceronte. Poco tempo dopo meditai di tornare all'emporio. Mio padre mi aveva già perdonato ed ero già stato a trovarlo altre volte. Lui mi chiedeva sempre se ero felice e io annuivo sapendo di mentire. Non ero felice. Nessuno può essere felice in una colonia. Eravamo schiavi nel nostro stesso paese. La felicità era qualcosa di davvero lontano dalla nostra vita. Andavamo avanti, niente più. E, sai, nelle città coloniali c'era la segregazione: a Mogadiscio in certe zone noi somali non potevamo entrare, perché ci potevano andare solo gli italiani.

La segregazione peggiorò con il fascismo. Ricordo un cinema, il cinema *Hamar*, con le poltrone bellissime, di un rosso acceso, e comode. Ma finché ci sono stati gli italiani nessuno di noi somali ha potuto provarle, era proibito.

Insomma, lo avrai capito, vivevamo senza troppe

prospettive. Io che volevo fare tante cose mi sentivo intrappolato: il massimo a cui potevo aspirare era fare il boy o il soldato. Sognare non serviva a niente, perché nessun sogno poteva realizzarsi quando c'era il colonialismo e tu eri la vittima.

Anche a papà all'emporio le cose non andavano bene, a volte l'esercito italiano confiscava i beni e non gli pagava le mercanzie. Insomma, un furto. «Ci vuole una scossa» pensavo. «Dio onnipotente, portaci questa scossa, ne abbiamo bisogno.» In un certo senso il mio desiderio fu esaudito. Arrivarono il fascismo e Benito Mussolini. E per me tutto cambiò. Lì per lì ne fui felice. Ma poi con il tempo mi resi conto di essere finito dalla padella alla brace.

Non lo capii subito, lo ammetto: Mussolini all'inizio mi sembrò un liberatore dagli Sperandio e dalla loro vanità.

A questo punto del suo racconto, non riuscii a trattenermi. – Nonno, il fascismo è una brutta cosa! –

gli urlai. – Benito Mussolini era una persona cattiva, cattivissima. Come ti sei potuto sbagliare?

– Ora lo so – mi rispose nonno *awowe* Omar un po' affranto, come se una bevanda amara gli avesse riempito improvvisamente la bocca.

– Prima non lo sapevi, davvero? – La domanda uscì dalla mia bocca tutta tremolante.

– Per un po' non l'ho saputo. Poi... – Il nonno non riuscì a finire la frase.

Mi ero svegliata dal sonno e dal sogno. Ero tornata nel corpo di una donna adulta. Ma rimasi per giorni con la curiosità di sapere cos'altro mi avrebbe raccontato. «Speriamo di sognarlo ancora» pregai.

7

Aspettavo che il nonno tornasse.

Chiudevo spesso gli occhi durante la giornata, anche solo per vederlo un attimo, ma sapevo che arrivava solo quando voleva lui.

A volte però, mentre passeggiavo da sola in città, mi capitava di far caso a tante cose che mi aveva raccontato. E sulla mia faccia (parlo di quella da adulta) comparivano smorfie del tipo: «Ohhhhh ma di questo mi ha parlato il nonno giorni fa», o «Uh, mamma, proprio come mi ha detto il nonno e io in tutti questi anni non lo avevo notato».

Mi pareva che tutto intorno a me parlasse di colonialismo. Poi un giorno (ero sempre più impaziente di sognare il nonno) vidi un libro nella vetrina di una famosa libreria del centro. *Le storie nere del Corriere dei Piccoli*, così si chiamava, e lo aveva curato una fumettista che conoscevo: Laura Scarpa. Lo aprii al volo e notai che era pieno zeppo di fumetti. Comprai il libro e me lo portai a casa tutta contenta. Volevo leggerlo quella sera stessa, ma invece di aprirlo mi accasciai sul letto. Ero stanchissima. Avevo camminato tutto il giorno.

Appena chiusi gli occhi, vidi il nonno. E sì, come al solito il mio corpo era tornato ai miei undici anni.

– Mi faresti un tè, nipote? Lo sai preparare?

Io avevo gli occhi pesti, ero stanca anche nel sogno.

– Mi sa che oggi non possiamo uscire. Sei uno straccio, nipote.

– Ho tanto sonno.

– Allora lascia stare il tè. Invece ti racconterò io una cosa breve breve, ti sembrerà quasi una favola e ti farà dormire ancora meglio. Si vede che hai tanto bisogno di riposo.

Avevo il corpo piccino, nel sogno, quindi sprofondai dentro quel letto grandissimo. Il nonno mi rimboccò le coperte e cominciò a raccontarmi una storia insolita, quella di un bambino che si trasformava nelle cose più strane del mondo.

Prima di parlarti del fascismo, dei fascisti e dei grandi guai che portarono in Africa Orientale, vorrei spiegarti meglio una cosa che riguarda il signor Sperandio.

A lui piaceva tanto chiamarmi con dei nomignoli che odiavo con tutto me stesso. «Accidenti, ho un nome,» pensavo «usa il mio nome, signor Sperandio.»

Ma poi, lo sai, non gli dicevo nulla. Rimanevo con la testa bassa e obbedivo a quegli ordini dati con il nome sbagliato. Penserai che tuo nonno è stato vigliacco, che avrei potuto, come mi dici sempre, ribellarmi. Ma, ti ho detto, quella struttura in cui eravamo immersi fino al collo era una struttura cattiva, che più cattiva non si può. La nostra vita durante il colonialismo era come farsi una nuotata in uno stagno pieno di fango. Era difficile avanzare in quelle condizioni, essere qualcuno, agguantare la libertà. La colonia era lo stagno di fango e noi cercavamo di sopravvivere come meglio ci riusciva. Quindi, sì, anche se non mi piaceva, io rispondevo a tutti quei nomi che mi sono stati dati nel tempo. Uno di questi nomi era il preferito del signor Sperandio: Bilbolbul. E non ti dirò che rabbia mi prendeva a sentirlo...

Non mi andava giù di essere chiamato come uno scioglilingua.

Ma invece, sai, *Bilbolbul* era un fumetto, il primo fumetto italiano.

Ed è questo che ti voglio raccontare.

★ *Bilbolbul* nasce il 27 dicembre 1908 a firma di Attilio Mussino. È il primo fumetto italiano, e fa il suo debutto nel primo numero de *Il Corriere dei Piccoli*, che era la versione per bambini e ragazzi del famoso giornale *Il Corriere della Sera*. Tanti bambini italiani sono cresciuti leggendo *Il Corriere dei Piccoli*, lo sai? Proprio tantissimi!

Il fumetto di Attilio Mussino, che era un disegnatore molto famoso per aver illustrato *Pinocchio*, rappresenta un bambino africano un po' tonto che impersona le metafore e i proverbi che incrocia sul suo cammino.

Nel primo episodio delle sue storie, dopo aver rubato un uovo, Bilbolbul cambia colore: diventa rosso quando prova vergogna e completamente bianco quando ha paura. Così scorre la vita di questo personaggio, che nel corso delle sue avventure si allunga, si accorcia, va in pezzi, si rincolla e soprattutto cambia spesso colore.

Poi però torna sempre "nero", e così facendo rientra anche nel suo stato di bambino tonto e ingenuo delle colonie.

Eh, sì, Bilbolbul era di fatto un suddito coloniale come me e i personaggi bianchi che di tanto in tanto incrociava lo trattavano come se fosse scemo. Lo stesso modo in cui Adalgisio Sperandio trattava me. Bilbolbul era descritto più come una bestiolina che come una persona, il suo creatore lo aveva disegnato così.

C'è una cosa importante che devi sapere, nipote: *Bilbolbul* era un fumetto in *blackface*.

Sai cosa significa? Be', in America nel Diciannovesimo secolo esistevano degli spettacoli chiamati *minstrel show* in cui i bianchi si dipingevano la faccia per interpretare i personaggi neri. Si affumicavano il volto con dei turaccioli e del trucco pesante tipo lucido da scarpe. Una cosa bruttissima, se ci pensi, proprio razzista. E lo dico perché dipingendola in quel modo, la faccia diventava stranissima, orribile, un incubo, e quindi i personaggi neri venivano sempre descritti come fossero caricature. Erano rappresentati come tonti, goffi, inopportuni. Era il nero visto dagli occhi di chi (bianco, colonizzatore e schiavista) lo voleva umiliare e sfruttare.

Insomma, chi faceva questi spettacoli era un po' come il signor Adalgisio Sperandio che si sentiva tanto superiore a me e non lo era.

La cosa triste è che questa pratica di dipingersi la faccia di nero, la *blackface*, è sopravvissuta agli spettacoli *minstrel show* americani, ed è passata in un sacco di altri media, tra cui non a caso il fumetto. Molti fumetti hanno in sé il germe di questa brutta pratica, sai?

Anche perché va ricordato che i fumettisti di inizio Ventesimo secolo non erano mai donne, mai neri, mai *latinos*, mai asiatici, quindi chi disegnava aveva la tendenza a prendere in giro le donne, i neri, i *latinos* e gli asiatici.

Basta guardare il famoso Mickey Mouse o Topolino (ah, poi ti devo raccontare una cosa su di lui, ma non ora, è troppo presto!): un personaggio quasi completamente nero che, nella sua prima avventura, si presenta con il banjo e di fatto è tale e quale al personaggio un po' tonto di un *minstrel show*.

Bilbolbul non è stato un'eccezione: il suo creatore lo disegna con labbra esageratamente grandi, occhi troppo spalancati e una pelle color inchiostro che lo fa assomigliare un po' alla maschera di Arlecchino.

Tutto è strano, in Bilbolbul. Non si capisce nemmeno bene in quale parte di Africa viva. Soprattutto nelle prime strisce, ci sono elementi che ricordano le colonie italiane. Le rime della prima apparizione sono: "Nel domestico tukul, ruba un uovo Bilbolbul". Il tukul era una capanna dell'Africa Orientale, che probabilmente il creatore di Bilbolbul aveva avuto modo di conoscere tramite stampe e resoconti giornalistici. Ma per il resto l'Africa creata da Mussino è un generico paesaggio esotico con cactus e deserto.

A me faceva rabbia essere chiamato Bilbolbul, mica ero un tontolone! Poi quando il colonialismo è finalmente terminato ho ripensato molte volte a Bilbolbul. Era ingenuo, ma non stupido. Il suo essere ingenuo nascondeva una specie di ribellione.

E poi i bambini dell'epoca si identificavano molto in Bilbolbul, perché era un po' pasticcione come loro e alla fine voleva solo essere abbracciato dalla sua mamma.

Insomma, Bilbolbul era un personaggio positivo. Non è un caso che fu odiatissimo dal fascismo, che non sopportava di vedere un nero, anche se solo in un fumetto, descritto in maniera vagamente positiva. Il regime di Mussolini lo fece sparire.

Ma ho parlato troppo. I tuoi occhi, nipote, si stanno quasi chiudendo. Mi sa che di questo Mussolini ti racconto la prossima volta.

Il nonno non mi fece aspettare troppo. Lo sognai quasi subito, per fortuna. Per la prima volta lo vidi senza turbante: aveva capelli candidi, tagliati corti, che gli incorniciavano dolcemente il viso lungo e morbido.

Non eravamo davanti alla solita stele di Dogali, vicino alla stazione Termini, ma su un ponte. Conoscevo quella zona: da lì si poteva arrivare a piedi verso la basilica di San Pietro, in Vaticano.

– Questo è il ponte Principe Amedeo Savoia Aosta, – disse il nonno – dedicato alla memoria del Principe Amedeo di Savoia, duca d'Aosta. Apparteneva alla famiglia reale, sai? Quelli che erano sovrani d'Italia prima dell'avvento della Repubblica nel 1946. Era un aviatore. Dal 1937 al 1941 fu viceré d'Etiopia. Io ho lavorato per lui.

– Ah – dissi senza aggiungere altri commenti. Aspettavo che il nonno cominciasse il suo racconto e non mi era chiaro cosa c'entrasse questo principe. Ma quel giorno il nonno era inquieto, come se una gazza gli avesse rubato tutte le parole di bocca. Era in imbarazzo, e non capivo perché. Forse si sentiva nudo senza il suo turbante?
– Nonno, cosa c'è? – gli chiesi preoccupata.

– Non è facile cominciare, sai? Per questo ti ho portato qui, al ponte Principe Amedeo Savoia Aosta.

– Mi vuoi raccontare di questo principe, forse? Era una persona importante? Lo era per te?

– Non esattamente, nipote. Ma, ecco, io ho lavorato per lui, questo sì, ma non solo per lui –. Il nonno a ogni parola si impappinava sempre più. Era molto strano.

Allora presi tutto il coraggio che avevo in petto e chiesi: – Ma, nonno, hai paura di qualcosa?

– Non ho paura, sono solo un po' triste. Non è bello raccontare alla propria nipote che si è stati fascisti.

– Sei stato fascista, nonno? – Cominciai a tremare anch'io, forte forte. Quella parola, "fascista", a undici anni come a quaranta aveva un suono elettrico, disturbante, torcibudella. Metteva i brividi. Quella parola non mi piaceva. E non riuscivo in nessun modo ad associare la faccia candida del nonno con una parola così terribile, senza pietà né misericordia. Una parola che aveva fatto piangere tanta gente e che si era letteralmente divorata la vita di tanti.

Ripetei la domanda, quasi non mi usciva dalla gola: – Sei stato fascista, nonno?

Aspettai la risposta di nonno Omar con ansia. E quando arrivò fu come uno schiaffo.

Lui disse solo: – Sì.

Quando arrivò il fascismo la Somalia era colonia solo per tre quarti del territorio. In fondo l'Italia in Somalia ci era finita un po' per caso. All'inizio ci volevano i tedeschi, ma gli inglesi, che volevano evitare che la Germania diventasse forte in Africa, avevano favorito gli italiani che tutto d'un tratto si ritrovarono padroni della Somalia senza quasi aspettarselo. E non di tutta la Somalia, solo delle coste e di poca altra roba. A Nord-Est vivevano somali che si ritenevano liberi, non certo una colonia. Gli italiani non la pensavano così, consideravano tutta la Somalia una loro proprietà da almeno un decennio. Ma va detto che nessuno degli italiani che erano in Somalia si decise mai a fare la guerra ai clan del Nord per ribadire chi comandava.

L'Italia aveva letteralmente comprato la Somalia dal sultanato di Zanzibar, ed era stata favorita in quest'acquisto.

Pensa, nipote, se l'Inghilterra non si fosse messa in mezzo, oggi la lingua somala sarebbe piena di parole tedesche invece che italiane. Diremmo

Guten Tag invece che *Buongiorno*. E magari sarebbero andati di moda i crauti invece degli spaghetti.

Il colonialismo è una cosa orrenda, ma questi passaggi culturali, che ci piaccia o no, rimangono attaccati alla nostra pelle. E infatti quando ero giovane io le donne somale preparavano una pasta al forno, con ragù di vitella, che nemmeno a Bologna ne mangiavi una uguale. Da leccarsi i baffi. E il cappuccino migliore lo facevano a Mogadiscio; anche se in Eritrea, altro paese colonizzato dall'Italia, sostengono che il miglior cappuccino dell'Africa si beve ad Asmara. Io non ne sono certo, sai?

Ma, ecco, io avrei fatto a meno della pasta al forno, del ragù di vitella e del cappuccino se avessimo avuto la nostra libertà.

Mica è bello pensare che se non ci fossero stati gli italiani, ci sarebbero stati i tedeschi nel nostro destino. A ogni modo, italiani o tedeschi, saremmo comunque stati colonia, sotto padrone, sottomessi. Che rabbia!

Come ti ho già detto, volevo tanto che le cose cambiassero. Radicalmente.

In un certo senso il mio desiderio fu esaudito, ma non sapevo di essere finito insieme a tutti i somali dalla padella alla brace.

Un partito autoritario, il partito nazionale fascista, aveva preso il potere in Italia con metodi assolutamente non democratici e ora che era al governo aveva messo fuorilegge tutti gli altri e aveva silenziato la stampa.

Di fatto in Italia si installò una dittatura.

A capo di tutto c'era Benito Mussolini, che comandava il paese con violenza e minacce, e con il suo gruppo di fedelissimi in camicia nera, a cui dava ordine di far sparire chiunque venisse considerato scomodo. Picchiavano la gente con i manganelli, dando botte belle forti, che nel migliore dei casi ti stordivano, altrimenti ti uccidevano. Ne vennero uccisi molti, ahinoi. Ricordati sempre del grande, immenso Giacomo Matteotti, un martire per la libertà. Altri come lui furono invece costretti all'esilio. In Italia era un brutto momento per chi credeva in valori come la libertà, l'autonomia, l'uguaglianza e i diritti.

Tutto questo aveva un riflesso nelle colonie. E per ciò Eritrea, Libia e Somalia entrarono subito in agitazione.

In Somalia, un mattino con un mare magnifico e un caldo soffocante, un uomo – Cesare Maria De Vecchi, conte di Val Cismon – fu deposto bruscamente sulla spiaggia di Mogadiscio dalle braccia robuste di quattro portatori somali, che lo sollevarono dalla sua scialuppa come se fosse una piuma. Non era una piuma, però: era stato stretto collaboratore di Benito Mussolini ed era stato spedito in punizione in Somalia, perché considerato una testa calda.

Noi somali ci accorgemmo subito di quanto fosse pazzo. Aveva deciso di muovere guerra ai clan del Nord, voleva usare la Somalia per far vedere a Mussolini che aveva fatto male a metterlo in punizione.

Io tutte queste cose le avrei sapute solo dopo. In quel momento ero solo un giovanotto stufo di lavorare per gli Sperandio. Volevo andarmene, però tornare all'emporio di papà mi sarebbe sembrato un fallimento.

A Mogadiscio avevo amici e speravo di trovare una bella fidanzata. Ma chi avrebbe voluto fidanzarsi con un giovanotto così precario come me? Gli Sperandio non mi pagavano mai la cifra pattuita e comunque mai nel giorno stabilito. Quindi dovevo sempre fare un sacco di economie. E anche se ero un giovanottone alto alto, portavo vestiti vecchi, che mi stavano ormai troppo corti e troppo stretti per i muscoli che avevo sviluppato. Insomma, ero davvero in agitazione per la mia situazione che mi sembrava miserevole. Il tuttofare era l'unico lavoro disponibile o quasi a Mogadiscio per un ragazzo come me. Non avevamo davvero niente di bello a cui aspirare. Ma poi, un giorno, un mio amico di nome Zakaria, mi disse: «Sono arrivati i fascisti».

Ricordo che lo guardai perplesso.

«Ma non le segui le notizie, Omar?»

«Non tanto» confessai.

«Ma lo sai che in Italia ci sono capi nuovi? Uno si chiama Benito Mussolini.»

«Mussolini... il nome l'ho sentito fare dagli Sperandio a tavola. Ogni volta che gli porto la cena o il pranzo, il signore bofonchia che "quel pallone gonfiato di Mussolini durerà poco!".»

«Sssh, ma sei matto, Omar? Non ripetere mai più quello che hai detto su Mussolini. Se parli male di Mussolini e dei fascisti ti mettono in prigione e buttano la chiave. I fascisti comandano tutti. Comandano gli italiani lì e noi qui.»

«Ma a me cosa mi cambia se un giorno mi comanda a bacchetta un tizio di nome Adalgisio Sperandio e l'altro un certo Benito Mussolini? Che cambia? Sempre sotto padrone sto.»

«Certo... ma a me questi fascisti, li ho visti al porto, mi sembrano più pericolosi, più minacciosi degli italiani a cui eravamo abituati. Diversi dagli

Sperandio. Questi fascisti mi danno la sensazione che ti possono far molto più male se lo vogliono. A me, confesso, mettono una gran paura.»

«Accidenti» dissi.

E l'altro quasi senza riprendere fiato: «Comunque ti volevo dire che i fascisti stanno cercando somali che parlino bene l'italiano».

«Cercando per cosa?» E il mio cuore, nipote, cominciò a battere furioso, all'impazzata, per l'emozione.

«Per un lavoro, tontolone» mi disse l'amico.

Non gli lasciai tempo di finire la frase. Corsi verso Shabelle, dove gli italiani stavano reclutando giovani somali. Era la mia occasione. Finalmente avrei lasciato la casa degli Sperandio.

Il mio italiano risultò il migliore di tutti. E ci credo! Gli Sperandio erano dei grandi chiacchieroni e lo ero diventato per osmosi anch'io. Inoltre, mi avevano dato il permesso di usare la biblioteca. E nei tempi morti, il signor Sperandio mi aveva insegnato bene la grammatica italiana, quindi ci avevo messo un attimo a imparare l'italiano, che ho sempre considerato una bella lingua musicale. Lo sapevo anche scrivere bene. E per molto tempo fui grato a quella lingua perché mi permise di leggere tanti libri di avventura. Malika mi aveva trovato un lume e ogni sera mi immergevo in un'avventura: pirati che avevano scordato dove avevano seppellito il tesoro, orchi dalla faccia spaventosa ma che erano solo principi incantati da una magia e dalla loro vanità, detective privati che tra il tè delle cinque e la cena scoprivano con la sola deduzione chi aveva rubato la collana della contessa. Quei libri mi salvarono dalla sicura pazzia e fecero del mio italiano quello di un madrelingua.

Anzi il mio italiano aveva qualcosa che chi mi fece il colloquio apprezzò subito: «Non hai nessun accento, ragazzo, questo è un bene».

Fui preso come interprete e traduttore. Mi diedero un tavolo, una sedia e mi fecero un corso accelerato per usare la macchina da scrivere.

La mia nuova vita era cominciata.

9

Quindi, capisci, nipote, all'inizio il fascismo mi sembrò meraviglioso. Li vedevo così energici. Ci avevano svegliato dal sonno. E volevano costruire tante cose, soprattutto strade e palazzi.

In realtà ce le facevano pesare, le loro strade, dicevano: «Siete così barbari che non vi sapete nemmeno costruire un vicoletto striminzito».

E anche quando il colonialismo è finito gli italiani hanno continuato a farcelo pesare: «Vi abbiamo costruito delle strade e dei palazzi, dovete ringraziarci, siamo stati buoni con voi, cosa avevate prima di noi? Ve lo dico io cosa avevate, niente, niente, niente... solo sentieri di sabbia e capanne di fango. Vivevate male, prima di noi».

In realtà non era così. A Mogadiscio come a Brava c'erano strade costruite da noi somali, moschee erette dagli arabi, i portici portoghesi, le case in stile indiano. Ogni popolo, che aveva attraversato la nostra storia con buone o cattive intenzioni, ci aveva lasciato un pezzetto di se stesso, qualcosa di brutto e qualcosa di bello. E molto, va detto, l'avevamo fatto noi, con le nostre mani.

Gli italiani ci hanno lasciato qualche strada, sì, a dire il vero più in Eritrea ed Etiopia che in Somalia, ma queste strade i fascisti le avevano costruite per percorrerle con le loro auto, così come le case per dormirci comodi la sera. Insomma, avevano costruito così tanto per goderne loro. Quando erano arrivati, i fascisti erano venuti per restare, ma poi sappiamo com'è finita la Seconda guerra mondiale, ed è stato un bene che il fascismo sia finito in Somalia come in Italia.

Però quando sono diventato interprete italianosomalo, somalo-italiano, il fascismo era appena cominciato. E io tante cose non le capivo. Volevo solo fare bene il mio lavoro e fare bella figura. Volevo i soldi dello stipendio promesso. Volevo potermi comprare vestiti decenti e trovare una fidanzata. Non sapevo che stavo iniziando la mia collaborazione con un regime tossico, non ne avevo idea. Non è una giustificazione, la mia, ma voglio farti capire, nipote, che a volte entri dentro la grande Storia, quella con la S maiuscola, dalla porta sbagliata e quando te ne accorgi sei già invischiato nelle sabbie mobili.

Ho cominciato la carriera da interprete con un certo signor Osvaldo, un funzionario fascista, che accompagnavo in giro per le piantagioni di banane. Devi sapere, nipote, che le banane somale sono le più buone del mondo. Sicuramente le avrai assaggiate. Il signor Osvaldo doveva fare una specie di resoconto su quante banane si producevano in Somalia e quante se ne potevano portare in Italia. Cose così. E io ero sempre lì a tradurre numeri, pesi e banane che in somalo si dice *mos*. Fui bravo e ricevetti un sacco di lodi.

Poi il governatore della Somalia decise di fare la guerra alle tribù del Nord e fu così che diventai un interprete di guerra.

Fu durissima per me. Un conto è tradurre banane e un altro è tradurre la guerra. Fare l'interprete è un lavoro strano. Le parole ti si attaccano dentro la testa e fai fatica a scrollartele di dosso. I primi minuti in cui devo tradurre qualcuno, soprattutto se davanti a me ho delle persone nuove, sono assai faticosi. Pregavo sempre Allah di capire la persona da tradurre, che non parlasse strano o che non usasse un dialetto a me sconosciuto. Poi mi dava fastidio tutto (ma TUTTO!) della persona che dovevo tradurre. Perché tossisce proprio adesso? Ma quanta saliva produce questo qui? Perché sposta la sedia proprio mentre parla? Oddio, così mi perdo le parole. Oddio, Oddio, Oddio. Insomma, ero sempre in tensione. In pochi secondi dovevo entrare nella testa di un'altra persona. Non è solo telepatia, è che diventi proprio l'altro, ne copi persino gli atteggiamenti. Finché traducevo il signor Osvaldo e le sue banane questo non mi preoccupava. Ma quando dovetti tradurre la guerra, e soprattutto quel signore amico-nemico di Benito Mussolini, quel Cesare Maria De Vecchi, conte di Val Cismon, che comandava tutta la Somalia, i problemi di coscienza cominciarono eccome. Quello là me lo ricordo come un vampiro che voleva il sangue dei somali ribelli.

Ho tradotto così tante brutte cose, sapessi, nipote: le offese, le maledizioni, le brutte intenzioni, la cattiveria, la violenza, il tradimento, la vigliaccheria. Dovevo tradurre le brutte frasi che dicevano sui somali e soprattutto sulle donne somale. Erano frasi senza rispetto, senza dignità. Ma io ero l'interprete, ero lì in mezzo, non dovevo avere pensieri miei, ero un robot in fondo, dall'orecchio mi entrava una lingua e dalla bocca me ne usciva un'altra. Quanto mi umiliava vedere somali che tradivano la propria gente per invidia o soldi. Somali che vendevano la propria gente ai fascisti per un sacchetto di monete d'oro. E poi dovevo tradurre tutti quegli ordini di fare male alle persone. Parole, che nella mia vita non avrei detto mai, mi toccava dirle eccome. Il fascista Cesare Maria De Vecchi ordinava "morte" e io traducevo "morte". Era faticoso. Mi sentivo così male. E anche finito il lavoro, le parole, soprattutto quelle cattive, mi rimanevano incollate addosso. Erano un tormento.

Per scacciarle sai cosa facevo? Lunghe passeggiate, e quando ero particolarmente nervoso anche corse sfrenate. Volevo che quella cattiveria si staccasse da me. Si sciogliesse al contatto con il sole cocente dell'equatore. Ma non sempre riuscivo a dimenticarle, purtroppo. A volte capitava che nel sonno traducessi ancora.

La guerra verso le tribù nomadi del Nord fu molto brutta. Ho visto tanto dolore, case bruciate così per sfregio, gente ammanettata, fucilata. E poi mettevano un clan contro l'altro, creavano odi nuovi. Un disastro. Oddio, quanto dolore ho visto.

I fascisti avevano poi così tanta paura di non farcela... Temevano ciò che era già successo ad Adua, di perdere contro gli africani, per questo furono particolarmente cattivi. Ma alla fine vinsero gli italiani, una guerra sporca fatta con armi in eccesso e tanta cattiveria. Insomma, nel 1928 si può dire che la Somalia entrò completamente sotto il controllo italiano.

Ogni tanto ho dei rimorsi. E se fosse stato anche merito mio quel risultato? Mi limitavo a fare il mio lavoro, gli italiani mi davano dei soldi... non molti, ma per me all'epoca tantissimi, ho potuto aiutare mio papà ad allargare l'emporio e a riparare i danni della casa. Ero un bravo figlio, ma ogni tanto, soprattutto la notte, pensavo: «Se non avessi tradotto nulla, forse i fascisti non si sarebbero pappati tutta la Somalia. E se fosse stata anche colpa mia?».

Questo pensiero mi tormentava, ma me lo feci

passare. Non volevo rimorsi. Non adesso che avevo i soldi per aiutare mio papà.

E poi mi ero sposato. E dovevo costruire casa pure per me.

Sai che la nonna mi ha scambiato per bianco la prima volta che mi ha visto? Io ho fatto le cose per bene: ho chiesto la sua mano a suo padre e poi l'ho detto a lei. Be', Auralla, anzi nonna Auralla, era una donna libera ed energica. E patriottica: non voleva sposare un colonizzatore. Mentre le chiedevo la mano mi disse: «Che strano che tu sai la mia lingua». Ma io ero troppo preso da quello che dovevo dirle (chiedere la mano di chi ami, e io mi ero innamorato di lei al primo sguardo, senza nemmeno parlarci) che non feci caso alle sue domande. Mi disse: «Sì», che in somalo si dice *ha*, e il giorno dopo scappò di casa per non sposarmi.

Lì ho capito che avevo sbagliato tutto. Avrei dovuto spiegarle che ero un bravo ragazzo e che le volevo bene. Sono stato uno stupido a parlare prima con suo padre e non con lei. Ma all'epoca si usava così. Sta di fatto che la cercai ovunque, e quando la ritrovai – si era nascosta da una cugina a sud – le chiesi scusa e le dissi: «Forse prima ci dobbiamo conoscere».

Così diventammo amici e poi ci sposammo.

Costruimmo una casa in stile arabo, bianca e deliziosa. Ma non eravamo gli unici a costruire a Mogadiscio. I fascisti non la smettevano di costruire case per loro e fecero persino una cattedrale grande, grossa, lunga lunga, copia esatta della cattedrale di Cefalù. La costruirono accanto a una moschea e all'hotel *Croce del Sud*. La costruirono come un grattacielo quella chiesa. Volevano far vedere a tutta Mogadiscio che comandavano i fascisti.

– Ah, la cattedrale, poverina – dissi io, così all'improvviso.

E il nonno mi guardò incuriosito.

– So che la guerra scoppiata negli anni Novanta,

quella di somali contro somali, l'ha ridotta in macerie. Era un brutto simbolo del passato, ma alla fine ci eravamo abituati e ci eravamo affezionati.

– Sì, l'abbiamo trasformata – dissi tutta contenta, ma il nonno non mi stava più ascoltando. Mi ero svegliata e mi ero messa seduta tutto d'un colpo.

Era Igiaba grande a parlare, non più quella che aveva undici anni e gli occhiali argentei a forma di occhio di gatto. E Igiaba grande pensava: «Anche le cose brutte possono diventare altro». Quella chiesa nata fascista con il tempo era diventata il simbolo di pace che univa i musulmani (in Somalia al 90 per cento siamo musulmani) e i cristiani. Insomma, avevamo somalizzato una cosa nata male. E forse questo va fatto con tutti i monumenti scomodi: devono essere trasformati.

E con quel pensiero positivo in testa mi alzai dal letto, pregando di incontrare di nuovo presto il nonno in sogno.

10

I sogni arrivavano puntualmente. Ormai di notte bastava chiudere gli occhi per vedere il nonno. E ogni volta riprendevamo dal punto in cui avevamo interrotto la sera prima. Mi raccontò tante cose ancora.

Di quando, nel 1928, in Somalia arrivò l'erede al trono d'Italia Umberto di Savoia, e lui lo dovette scorrazzare, insieme a un seguito faraonico, per mare, per monti… e per savane in cerca di giraffe e rinoceronti.

Poi mi raccontò di quando un possidente volle far vedere al governatore il cotone steso dalle donne del suo podere…

– Poverette – mi disse il nonno. – Erano cotte

dal sole, e stanchissime. Gli italiani usavano far lavorare la gente dei villaggi e la pagavano quasi zero... Che vergogna! Lavoravi tutto il giorno sotto il sole e ti pagavano una cifra che non bastava nemmeno a comprare il latte. Era quasi schiavitù, che cosa brutta, nipote mia.

Fu proprio vicino a quella piantagione che il nonno salì su un traghetto che a detta sua sembrava più una zattera.

– Eravamo sul fiume Giuba. Un fiume pieno di coccodrilli che ti guardavano con occhi voraci, in attesa di un tuo scivolone. Mica vedevano me o gli altri come esseri umani, vedevano solo carne grassoccia per fare una bella colazione. Avevo una paura matta di cadere da quella zatterona. Una paura folle di essere mangiato dai coccodrilli.

Di re il nonno ne incontrò anche un altro: Vittorio Emanuele III.

– Sai, nipote, – mi disse – anche se è passato tanto tempo, mi è rimasta incollata al cervello l'immagine di quella sfilata di trattori a Genale, sull'altro fiume della Somalia, l'Uebi Scebeli. Eh, sì, era una sfilata in onore del re Vittorio Emanuele III, quel re italiano dagli occhi sfuggenti. Era il 1934 e nubi fosche si stavano avvicinando all'orizzonte. Ma io non potevo certo immaginarlo.

Molto spesso quando si parla di fascismo ci si dimentica che fu possibile anche grazie alla complicità dei Savoia, la casa reale italiana, che non si opposero mai a Mussolini e ai suoi sgherri, anzi ne furono i complici. Per questo, quando è finita la Seconda guerra mondiale, l'Italia dovette decidere se tenersi la monarchia o diventare una Repubblica. Gli italiani e le italiane votarono, scegliendo di diventare una Repubblica. Successe nel 1946 e per le strade ci fu tanta felicità. Per questo l'Italia dove sei nata tu, nipote mia, è una Repubblica nata dall'antifascismo e con una Costituzione, tra le più belle al mondo, naturalmente democratica e antifascista.

Ma nel 1934, quando re Vittorio Emanuele III

venne in Somalia, l'Italia e tutte le sue colonie erano comandate dal fascismo e in Italia c'era ancora la monarchia. Di quella visita ricordo soprattutto tuo papà Ali e tuo zio Abukar. Ero un padre molto orgoglioso e volevo per loro le migliori cose. Ogni tanto mi vantavo di quanto fossero belli e bravi i miei figlioli. Sta di fatto che vennero scelti proprio loro, credo a causa delle mie vanterie, per cantare davanti al re in visita per la prima volta a Mogadiscio.

Preso dall'ansia, cominciai a tormentarli dicendo: «Mi raccomando, schiena dritta». Oppure: «Davanti al re un bell'inchino». «Dovete fare la riverenza proprio come vi ho insegnato!» «Non ridete o sghignazzate mai davanti al re, se vi becco a sghignazzare sono guai.»

Insomma, stavo insegnando ai miei figli a rimanere sottomessi, piegarsi davanti a un altro essere umano. Oggi, per esempio, non direi loro di fare quello che gli chiesi al tempo. Gli direi di resistere, sghignazzare e soprattutto non cantare quelle canzoni brutte e antipatiche del fascismo. Ma allora eravamo intrappolati dai nostri ruoli ed eravamo sudditi, sottomessi a un paese che si era mangiato non solo la nostra terra, ma anche la nostra dignità.

I miei figli cantarono due inni del fascismo, *La canzone del Balilla* e *Giovinezza*. Poi tuo papà, da grande, mi confessò che la riverenza davanti al re, che gli avevo chiesto di fare, li aveva messi davvero in crisi.

Sai, nipote, non gli avevo detto una cosa fondamentale: chi era il re. Gli avevo giusto mostrato un ritratto che avevamo attaccato nei nostri uffici, un piccolo ritratto a dir la verità, completamente offuscato dal gigantesco e faraonico ritratto di Benito Mussolini, che era non solo grande, ma enorme quanto una galassia. Il suo viso quasi ci ingoiava tutti per quanto era grande ed esagerato. I miei figli di quel ritratto avevano capito solo che il re aveva i baffi bianchi e un cappello fuori moda. E poi, accidenti a me, non gli avevo detto una cosa fondamentale, che il re era piuttosto basso di statura. Così finito di cantare, mentre la delegazione usciva dalla porta centrale, vidi i miei figli inchinarsi davanti a tutti, perché si immaginavano che ogni uomo alto, con un cappello strano e i baffi fosse il re. Il bello fu che quando videro il vero re non si inchinarono: per loro Vittorio Emanuele III era troppo basso per essere un sovrano.

Mi fecero ridere e non li rimproverai per quella brutta figura che avevo fatto con i miei capi.

★ Pensa, nipote, a tutte le cose che ci insegnavano di sbagliato. A scuola, nelle canzoni, al cinema. C'era addirittura una canzone con protagonista Topolino, il topo più famoso del pianeta, che come saprai è americano. Be', in Italia a un certo punto con il fascismo hanno proibito tutti i fumetti stranieri. Tutti tranne Topolino. Si dice che si salvò perché piaceva ai figli di Mussolini. L'altra spiegazione è che l'inventore di Topolino,

Walt Disney, avesse incontrato due volte Mussolini e che i due si piacessero.

Io, nipote, non so dirti come mai tra tutti i fumetti si salvò proprio questo. So però che nel 1935 Crivel, il cui vero nome era Fernando Crivelli, un autore famoso per canzoni come la carinissima *Maramao perché sei morto?* o *L'ora del Campari*, scrisse una canzone per bambini con protagonista Topolino. E indovina dove va Topolino nella storia di questa canzone? In Abissinia, come gli italiani di allora chiamavano l'Etiopia. Be', Topolino mica ci va in vacanza, in Etiopia, va a fare la guerra. Mussolini, infatti, aveva deciso di fare guerra agli etiopi, per costruire un impero.

La canzone non è tanto cantata quanto recitata. All'inizio siamo dentro un reggimento, vicino alla trincea, e gli ufficiali si vedono apparire davanti... indovina chi? Topolino, sì, vestito da soldato provetto.

Topolino viene presentato dagli ufficiali così: "È il più bel tipo di militare che sia sbarcato nell'Africa Orientale". Poi a Topolino vengono poste le domande di rito. I due militari di alto grado vogliono sapere a quale distretto appartiene il topo. Lui, con la sua vocina stridula e un po' irritante, risponde: "Nessun distretto, sono volontario".

Capisci, nipote? Lui in questa canzone viene trasformato in una delle camicie nere, che erano i fascisti più fascisti di tutti. Gli ufficiali che lo stanno interrogando sono assai impressionati. Bofonchiano, se la ridono di gusto, felici di aver trovato un militare così perfetto e onesto, vanto del duce (così veniva chiamato Mussolini) e del futuro impero. Gli chiedono naturalmente se è armato. Lì Topolino dà il meglio di sé e dice: "Mi sono armato da solo. Ho la spada, il fucile, una mitragliatrice sulle spalle e mezzo litro di gas asfissiante".

Mezzo litro di gas asfissiante? Davvero, Topolino?

Sai, nipote, dopo la fine del fascismo e della Seconda guerra mondiale, l'Italia dimenticò e nascose tante cose. Per decenni non ha ammesso di aver usato gas chimici contro la popolazione etiope. Gas che soffocavano e ustionavano le persone. Gas orribili. Anche se questo fatto è candidamente svelato in una crudele canzone per bambini. Che cose brutte faceva il fascismo a tutti e in particolare all'infanzia.

Topolino, in questa canzone, è malvagio. Sembra Voldemort. È più cattivo persino di Capitan Uncino e della regina crudele di Biancaneve. Il fascismo ha fatto pure questo: trasformare Topolino, che per tutti da sempre è un buon topo leale e generoso, in uno che è meglio evitare e che vuole solo fare la guerra.

E non a caso il topo dichiara: "Appena vedo il negus lo servo a dovere. Se è nero lo faccio diventare bianco dallo spavento". Una cosa razzista che più razzista non si può. Ma nella storia raccontata in quella canzone il negus (che è Hailé Selassié, imperatore d'Etiopia, quello a cui Mussolini vuole togliere il trono con la guerra) non basta a Topolino. Lui vuole fare del male a tutti.

E ha un motivo ben preciso che spiega ai suoi comandanti: "Ha molto premura. Ho promesso a mia mamma di mandarle una pelle di un moro per farci un paio di scarpe". Usa la parola "moro" per denigrare gli africani. Topolino aggiunge: "A mio padre manderò tre o quattro pelli per fare i cuscini della sua Balilla. A mio zio un vagone di pelli perché fa il guantaio". E poi chiosa: "Me la vedrò da solo con quei cioccolatini". Insomma, un Topolino davvero terribile.

Questo ti fa capire che la guerra che il fascismo mosse contro l'Etiopia era brutta, sporca e cattiva. È difficile parlare di questa guerra e sarà per me difficilissimo raccontarti quello che ho visto con i miei occhi, ma sappi che il colonialismo è spiegato assai bene in questa canzone: il colonialismo altro non è che crudeltà, e trasforma tutti quelli che lo portano avanti, persino Topolino, in mostri.

Poi c'è una cosa che mi spezza il cuore ogni volta che ci penso.

Il mio più grande dispiacere come padre è stato

quello di non aver potuto far studiare i miei figli e le mie figlie. Alle bambine locali era proibita la scuola, e i maschi somali (ma era lo stesso in Eritrea e in Libia) potevano arrivare al massimo alla quarta elementare. Poi basta, i fascisti non ti facevano andare oltre.

Questa cosa ha fatto piangere tuo papà Ali, sai? Lui voleva fare l'astronomo. Lo vedevamo sempre con gli occhi all'insù a cercare costellazioni, pianeti e comete.

«Un giorno,» mi diceva tutto contento e con gli occhi che gli brillavano «daranno il mio nome a una stella che scoprirò io.»

Mi diceva che anche il Corano parlava di galassie lontane, e che gli esseri umani non erano soli nell'universo.

Io l'ascoltavo rapito. Era solo un bambino, ma aveva già le idee chiare sull'universo e aveva una voce bellissima che ti incantava e ti incatenava al racconto. E ogni tanto me le faceva vedere, le stelle del cielo blu dipinto di blu che avevamo in Somalia.

Sai, le stelle si vedono proprio grandi all'equatore. E tutto il cielo era pieno di animali strani: volpi, delfini, cavalli alati.

A volte il tuo papà, il mio adorato Ali, mi mostrava ciò che nessuno vedeva, le stelle della nostra Africa fatta di giraffe, rinoceronti, zebre e leoni dalla grossa criniera. Stelle a punta, stelle con lo strascico, stelle con gli occhiali o con i tacchi a spillo. C'erano le stelle degli innamorati e le stelle dei malinconici. Le stelle vanitose e quelle generose che ti riempivano di abbracci. Stelle da mangiare, da bere, da mettersi in faccia come una crema o da mettersi sui capelli come una fascia. Stelle per sognare e stelle per viaggiare. Stelle che ti facevano ridere nei giorni allegri e ti cullavano quando eri triste. Poi c'erano anche le stelle chiacchierone, che non la finivano mai con le loro infinite storie. E mio figlio le conosceva tutte.

«E altre, papà, le conoscerò con il tempo. Devo studiare, catalogare, osservare. Quando sarò grande dedicherò la vita alle stelle. Perché sai, papà, noi siamo polvere di stelle, polvere di infinito, scie di sogni, ponti verso galassie con cui un giorno potremmo fare amicizia.»

Non vedeva l'ora di diventare grande, il tuo papà, andare all'università, studiare i pianeti. Era il suo desiderio più grande. Ma invece... tutto andò alla rovescia. Il fascismo rovinò tutto. Sono i fascisti ad aver infranto il sogno del tuo papà e i tanti sogni dei bambini somali (ed eritrei e libici): diventare dottori, dottoresse, architetti, ingegneri, veterinari. Bambine e bambini che si sognavano adulti con un mestiere bellissimo e scoperte da fare. Il fascismo voleva che noi neri rimanessimo nell'ignoranza. Dicevano che era già tanto se ci insegnavano a leggere e scrivere.

Ecco cos'era la civiltà del colonialismo: l'ignoranza.

Sì, ignoranza e sottomissione.

È stata una delle eredità tossiche che ci ha lasciato il fascismo, questa assenza della scuola nella vita dei nostri figli. La scuola, nipote, è importante. Senza scuola non c'è futuro.

E quindi a noi hanno tolto un pezzo di futuro.

Tuo padre non è potuto diventare astronomo per via del fascismo. Poi è diventato un politico, come sai. È stato autodidatta, leggeva molto e quando è diventato ministro ha cercato sempre di aiutare la scuola.

«I bambini e le bambine sono i fiori del futuro» diceva tuo padre. Sapeva quanto è brutto non poter andare a scuola.

Ah, quante cose brutte ci ha fatto il fascismo. Quanto dolore...

Dopo questa frase mi svegliai.

Ecco perché papà quando ero piccola mi diceva sempre di studiare, leggere, fare i compiti. A lui era stata negata questa gioia. Un po' ho pianto per quei bambini e bambine, come mio padre, che sono stati derubati della scuola. La scuola è un diritto umano.

11

Poi una notte feci un sogno diverso, senza il nonno. Avevo di nuovo undici anni, ma mi trovavo da sola. Mi spaventai e urlai.

Una signora dai capelli viola mi disse: – Ragazzina, perché urli?

Io ero un po' spaventata e un po' arrabbiata. E fui molto screanzata. Le dissi: – Ma che ci fa lei nel mio sogno? Se ne vada. E chiami subito mio nonno.

– Come siamo educate... – disse, con una certa ironia, la signora. – Alla tua età mica ci si comporta così, non ti vergogni?

Avrei voluto dirle che di anni ne avevo quaranta

e più, ma mi ricordai che nei sogni che facevo da qualche mese ne avevo solo undici. Allora con la voce più stridula che potevo le dissi solo: – Voglio mio nonno, vada via, lei è un'intrusa, anzi sa cosa le dico? Ora mi sveglio e la faccio sparire. In fondo lei è solo un sogno.

E cominciai a darmi una serie di pizzicotti dappertutto, ma non mi svegliavo. Avevo sempre undici anni ed ero sempre davanti alla signora con i capelli viola che mi guardava con una certa aria di sufficienza, come se le facessi pietà. O almeno così interpretai il suo sguardo.

– Hai il sonno profondo, lo sai – disse la signora accennando un sorriso. Intanto però si era seduta e aveva una tazza di tè in mano.

Solo allora mi guardai intorno. Ma dov'ero? La casa era piena di mobili, cianfrusaglie, fotografie, documenti, libri, aveva un che di antico e raffinato. Mi colpì la foto di una donna che ballava con una lunga veste rossa e i capelli al vento di un castano brillante che accecava.

– In quella foto avevo ventotto anni ed ero in vacanza in Grecia con mio marito. Era la nostra luna di miele.

– È una ballerina?

– No, scrivo poesie – disse la signora dai capelli viola.

Io la guardavo sempre più storto. Non capivo cosa ci facesse quella sconosciuta nel mio sogno. E soprattutto dov'era il nonno? Ma invece di farle domande, mi sedetti un po' rassegnata davanti a lei. – Non mi chiedi nemmeno come mi chiamo? – disse la signora dai capelli viola.

– Come si chiama? – domandai automaticamente, con una voce non proprio delle più accoglienti.

– Continui a essere accigliata... – disse la donna sorridendo.

Notai che aveva bei denti, dritti e bianchi. La prima cosa che guardo in una persona sono sempre i denti, e quella signora li aveva bellissimi, come il nonno.

– Ti piacciono i miei denti – disse la signora

leggendomi nel pensiero. – Mi aveva avvertito tuo nonno che è una delle prime cose che guardi in una persona. Allora ho passato l'esame?

– Conosce mio nonno? – dissi io sbalordita.

– Sì, siamo amici in un certo senso –. Frugando in quella pila di carte che aveva gettata sulla scrivania, prese una foto. Il formato era piccolo.

– Riconosci qualcuno? – mi chiese la signora.

Guardai la foto. C'era una bambina, aveva un cappello a triangolo, che le copriva in modo leggiadro la fronte, da cui fuoriuscivano alcune ciocche di frangetta sbarazzina. Il vestitino era di un colore chiaro, merlettato ai margini. Un delizioso abito da passeggio, con una gonnellina che copriva le ginocchia. Il tocco finale era dato da calzini bianchi, spessi, e scarpette a cuore. Che amore di bambina. Accanto a lei un giovane, con un turbante e un paio di occhiali.

– Il nonno – urlai felice.

– Sì, la foto me l'ha fatta mio papà. Abbiamo incontrato tuo nonno per strada, nel nostro quartiere, a Prati, a Roma. Era il 1937 e da lì a pochi giorni ci sarebbe stata la parata per il primo anno dell'impero, in via dei Fori imperiali, quella via che Mussolini aveva costruito apposta per le sue parate. Tuo nonno doveva partecipare a quella parata, sfilare con tutti gli altri –. Avrei voluto dirle che la quarantenne che sono conosceva già quella storia, ma lei non mi lasciò il tempo di parlare.

– Tuo nonno si è raccomandato di raccontarti le cose per bene. Mi ha proprio detto: «Devi raccontare a mia nipote come hanno vissuto la guerra d'Etiopia i bambini italiani. Poi verrò io e le dirò altre cose. Ma vorrei che tu cominciassi a raccontare a mia nipote di quella guerra, com'è stata per te da bambina in Italia».

La guardai con più interesse e, visto che era stata mandata lì dal nonno, per la prima volta le sorrisi.

Lei si verso il tè e lo versò anche per me, aggiunse una zolletta di zucchero, perché come dice

Mary Poppins "con un poco di zucchero la pillola va giù" (e io dovevo ingoiare una guerra intera, quindi lo zucchero mi serviva eccome) e poi mi disse: – Mi chiamo Lia Zevi e sono ebrea.

Prima ti do un po' di date e di dati. Nel 1934 l'Italia aveva tre colonie: Somalia, Eritrea e Libia. E ne voleva aggiungere una quarta. Da molto tempo aveva adocchiato l'Etiopia, ma il paese si era sempre difeso e per gli italiani era impossibile metterci piede; poi purtroppo Mussolini trovò una strada per invaderla.

La guerra iniziò nel 1935, a ottobre, e durò per gran parte del 1936, fino a maggio. Come un anno scolastico. Io ero una bambina, andavo alle elementari nel quartiere di Roma dove vivevamo, che si chiama Prati. A scuola ci dicevano solo bugie.

Pensa, quando è cominciata la guerra di Mussolini contro l'Etiopia gli italiani e le italiane credevano di essere felici. Noi ebrei italiani, ti dirò, un po' meno. Venivamo da una lunga storia di discriminazioni e la felicità completa era difficile da ottenere quando ti toccava subire mille angherie. I miei nonni e i miei genitori mi avevano sempre detto di stare in guardia. Certo, eravamo usciti dai ghetti dove ci avevano rinchiuso secoli prima, ma dovevamo stare sempre attenti. Insomma, quella cosa brutta chiamata antisemitismo, quell'odio inspiegabile che alcune persone avevano per noi ebrei ed ebree, be', poteva farci ancora tanto ma tanto male.

Quando andavo a scuola però né io né gli adulti intorno a me immaginavamo *quanto* male. Nessuno nel 1935-36 immaginava le dimensioni della tragedia che si sarebbe abbattuta su di noi di lì a poco. Infatti, in quell'anno di guerra mussoliniana per un impero in Africa la nostra vita all'apparenza era come quella di tutti gli altri: lavoro, scuola, compiti, disegno e parate di regime. Ma era solo apparenza. Avremmo capito presto, noi ebrei ed ebree, che un'ombra era lì, pronta a divorare tutti i nostri sogni. Ma quando è cominciata la guerra sporca e cattiva di Mussolini contro l'Etiopia ci illudevamo che quelli che ci odiavano erano pochi. Sì, poche mosche bianche! E pensavamo che, alla fin fine, facevamo parte della nazione pure noi.

Insomma, abbiamo vissuto un po' cercando di abbracciare una normalità che in pochi anni ci sarebbe stata tolta.

Quindi, quando è cominciata la guerra io ero una bambina e come tutti i bambini che frequentavano la scuola ai tempi di Mussolini, anche la mia testa è stata riempita delle bugie del regime. Pensavamo tutti che la guerra di cui parlavano le maestre fosse buona e giusta. Ci dicevano che gli etiopi, anche i bambini, erano schiavi in catene e che piangevano tutto il giorno perché era brutto essere schiavi. La maestra ripeteva che "attendevano un salvatore" e che era l'imperatore d'Etiopia Hailé Selassié, che tutti chiamavamo "negus", a mettere le catene ai piedi dei bambini e che era l'uomo più cattivo del mondo. Raccontavano che era brutto e basso, che puzzava ed era un codardo.

Una brutta persona, ci diceva la maestra, così cattivo che quando digrignava i denti dalle gengive uscivano fuori i diavoletti.

Insomma, la notte avevo paura che il negus mi venisse a mangiare. A volte piangevo e la mamma veniva ad abbracciarmi e con un gesto della sua mano così bella e affusolata scacciava i fantasmi creati dalla maestra. «È brutto essere schiavi,» diceva altre volte la maestra «ma per fortuna le loro angosce sono finite. I poveri bambini etiopi e le loro mamme, ma anche i papà... ma solo i papà buoni, saranno salvati dal nostro amatissimo duce, Benito Mussolini. Lui andrà a liberare gli etiopi.»

Io credevo a tutte queste menzogne.

Quante ce ne hanno raccontate.

Pensa che sciocca... credevo davvero che Mussolini fosse buono e caro, e avrebbe salvato gli etiopi.

Ora so che l'Etiopia, con il suo imperatore, era la vittima e Mussolini il carnefice.

Ora so che Hailé Selassié era una brava persona,

non puzzava come dicevano le canzoni dell'epoca, e dalle sue gengive non uscivano i diavoletti.

Sai che poi da grande l'ho visto?

Era il novembre del 1970 e ormai ero grande. Hailé Selassié venne in visita a Roma e così lo vidi. Era un signore elegantissimo. C'era tanta gente accorsa per vederlo e in mezzo a quella folla lui mi guardò e mi sorrise. E io gridai: «Scusa per quello che ha fatto l'Italia all'Etiopia». Comunque, come ti stavo raccontando, quando ero piccola né io né la mia famiglia avremmo mai immaginato che dopo l'Etiopia sarebbe toccato a noi ebrei stare male, malissimo... Presto la furia del fascismo si sarebbe scatenata anche contro di noi.

Nel 1938, con l'introduzione delle leggi razziali, ci proibirono tutto. Io non sono più potuta andare a scuola, mio padre e mia madre hanno perso il lavoro, abbiamo perso le amiche e gli amici, non potevamo nemmeno fare la spesa dove la facevano i non ebrei. E poi c'è stata la Seconda guerra mondiale, con i campi di concentramento, la tortura, la solitudine, la paura, i rastrellamenti. A me hanno rubato l'infanzia. Hanno rubato i genitori, che non sono più tornati. Sono stata aiutata da dei religiosi che mi hanno nascosto in un ospedale, per tutta la guerra ho vissuto in quell'ospedale vicino al fiume. Sola!

Non mi sono mai tolta di dosso l'idea che la nostra disgrazia, come comunità ebraica, sia ricominciata con quella maledetta guerra di Mussolini per il suo impero. È stata proprio la guerra contro l'Etiopia ad aver insegnato agli italiani a odiare il prossimo in modo ancora peggiore che nel passato, solo perché aveva una pelle diversa, una lingua diversa, un modo di vedere la vita diverso. Se penso a quello che mi hanno fatto a scuola, be', è stato un vero lavaggio del cervello. Ci insegnavano a odiare. Credevo che il fascismo fosse la cosa più bella del mondo, e che avrebbe portato gioia e liberazione a quegli etiopi.

Del resto, tutto a scuola ricordava la guerra. I

bambini avevano un moschetto e noi bambine imparavamo a essere brave casalinghe e ci insegnavano a cucinare melanzane, pastasciutta, risotti. Di quegli anni ricordo spesso l'odore della cipolla sulle mani.

A scuola poi avevamo dei quaderni, che dovevamo essere sicuri di non sporcare. Mai. Per nessun motivo. Sul quaderno di diritto c'era l'immagine di Mussolini aviatore, su quello di ortografia un alpino pronto a sparare al nemico, su quello di igiene un bambino tutto nero insaponato dalla mamma che a furia di sfregarlo lo faceva diventare bianco come l'abito delle spose. Le copertine erano affollate di balilla, carri armati, ascari, contadini che falciavano il fieno. Quasi sempre c'era una motto fascista o la grande faccia di Mussolini, che ci salutava con il braccio teso e l'espressione truce.

Una cosa a cui avevo fatto caso era che Mussolini non sorrideva mai. Una volta lo domandai alla maestra: «Ma perché Mussolini non sorride mai?».

Risultato: fui messa in punizione. Comunque, non ero punita spesso, anzi forse solo quella volta.

Ricordo che a me piaceva scrivere e la maestra mi metteva sempre dei bei voti. Ed ero affascinata dall'Africa di cui la maestra ci parlava un giorno sì e l'altro pure.

Cantavamo un sacco di inni, facevamo tanta ginnastica e poi, quando è cominciata la guerra, Mussolini l'ha proclamata con un discorso dei suoi a piazza Venezia, sul suo famoso balcone, e la gente tutta lì ad applaudirlo. La maestra ci metteva davanti alla mappa dell'Africa per mostrarci l'avanzata delle nostre truppe e raccontarci le gesta del generale Badoglio a Nord e del generale Graziani a Sud. Avevamo riempito la mappa di bandierine, una per ogni battaglia. Già, su quella mappa era come se gli africani non esistessero, esistevano solo le bandierine dei soldati italiani. Questo ricordo mi fa venire la pelle d'oca, anche ora, a distanza di anni.

Quella guerra si infilò anche nei nostri giochi.

Sai, all'epoca non era come oggi, che i bambini hanno tanti giocattoli: noi non avevamo quasi niente, anche perché tutto costava tantissimo. Pensa che a volte facevamo colazione con i torsoli di mela. Ma io devo dire che ero fortunata, la mia mamma mi dava sempre cinque centesimi per comprare un fico.

Ricordo che un chilo di pane costava una lira e sessanta centesimi, un chilo di riso due lire, e la carne era proprio un lusso. Il filetto di manzo costava quattordici lire. E chi se lo poteva permettere? Io per leggere i libri a casa, di notte, usavo la candela. E insomma, si doveva sempre risparmiare. Ogni tanto mia madre, ma raramente, si comprava un rossetto. Costava quindici lire.

E quindi i giocattoli non erano proprio il caso, costavano troppo. Vivere sotto il fascismo era carissimo! Così i giochi ce li inventavamo da noi. Giocavamo all'aria aperta, a rincorrerci o a nasconderci. E giocavamo in strada anche se fuori c'era il gelo polare. A noi bambini, se avevamo qualche soldino da parte, piaceva comprare i soldatini di carta in vendita dal cartolaio. Io avevo una serie di ascari, i soldati coloniali, nella loro divisa kaki e mi piacevano un sacco. E siccome sapevo disegnare bene, alla fine i soldatini me li facevo da sola e risparmiavo. Così giocavo sempre alla guerra d'Etiopia con il mio fratellino piccolo, Samuele. Devi sapere che avevo un libro preferito, da cui non mi separavo mai, *I bimbi dell'onda* di Lucilla Antonelli. Era una storia fantastica, quelle centonovantadue pagine che ormai erano diventate il mio miglior amico. Il libro, ma questo l'ho scoperto da adulta, era stato stampato grazie al calzificio Paolo Santagostino di Milano Niguarda, una fabbrica che faceva pubblicità ai suoi calzini e alle sue camicie, che nelle illustrazioni del libro erano indossati dai protagonisti: i miei amatissimi Niguardina e Scalfarotto. All'inizio della storia sappiamo solo che sono i figli di una conchiglia che fa perle. Prima di essere bambini veri, sono molluschi e sono nati nei mari siciliani. Poi risalendo l'Adriatico si trasformano in bambini e vengono catturati dai pescatori nei pressi di Trieste. E insomma, il libro è fatto delle loro avventure.

Io mi rispecchiavo in Niguardina: mi assomigliava, aveva i miei stessi capelli castani e quel caschetto sbarazzino che le arrivava fino alla nuca. E Scalfarotto, quanto era coraggioso. Ero proprio innamorata di lui. «Quando diventerò grande,» dicevo sempre alla mamma «sposerò Scalfarotto.»

E cosa c'entrano loro con l'Etiopia? C'entrano, eccome. Quando scoppiò quella guerra, anche Niguardina e Scalfarotto furono arruolati, come Topolino. Ed erano protagonisti di una versione del Gioco dell'oca ambientata in Etiopia, che si chiamava proprio *La guerra d'Etiopia e la super-gara Santagostino*. Ci giocavo sempre.

Così dicevano le "norme del Giuoco" (scritto proprio così con la U): "Scalfarotto e Niguardina, nella luce di fede e eroismo che ha illuminato il popolo italiano durante la Guerra di Etiopia, sono partiti essi pure per l'Africa Orientale". Eh, sì, a noi bambini parlavano con questi paroloni, ed era sempre tutto fede, luce, orgoglio... parole così vuote, se ci pensi. Poi le norme aggiungevano: "Amici piccoli e grandi, seguiteli e ricorderete le date e le vittorie indimenticabili che hanno fatto ritornare l'Impero sui colli fatali di Roma, nell'anno XIV". Ah, sì, gli anni dovevamo contarli dal giorno della marcia su Roma, il 28 ottobre 1922. Mussolini insomma voleva vincere anche il tempo, ma non ci è tanto riuscito, perché tutti abbiamo continuato a dire le date come al solito. E poi io sono ebrea e noi abbiamo un altro calendario, con le nostre belle feste: Yom Kippur, Pesach, Purim, e insomma, non ho mai imparato il calendario fascista.

12

Ora mi vergogno di tutti i sentimenti che provavo prima del 1938. Da bambina non potevo certo sapere che durante la guerra contro gli etiopi i fascisti usarono delle bombe con il gas, che non ti facevano respirare e ti facevano venire vesciche per tutto il corpo. Quelle bombe velenose servirono per uccidere soldati, annientare villaggi, massacrare le donne con i loro bambini, cancellare gli anziani, portare dolore. Siccome aveva paura di perdere, l'Italia ha fatto di tutto per vincere, anche con i gas proibiti.

Così abbiamo vinto, ma nessuno ci raccontava *come*. A noi bambini dicevano soltanto che il puzzolente imperatore degli etiopi cattivi era andato via a suon di legnate. C'era anche una canzone che lo raccontava e tutti la cantavano: "Se l'abissino è nero, gli cambierem colore! A colpi di legnate poi gli verrà il pallore! Dai, dai, dai, l'abissino vincerai".

I libri, i manifesti, le pubblicità erano pieni dell'imperatore d'Etiopia preso a calci nel didietro dall'Italia... trasformata in stivale da guerra, tutto chiodato.

Si diceva che gli etiopi cattivi erano stati sconfitti dagli italiani buoni ed erano scappati, mentre gli etiopi buoni non solo erano rimasti ma ci volevano bene. Venivano mostrate foto di gente etiope inginocchiata davanti agli italiani.

A scuola organizzarono una grande festa, io indossavo la divisa da Giovane italiana, con le scarpe tutte lucide, e cantai la famosa canzone fascista *Faccetta nera*. Una mia compagna si era dipinta la faccia di nero e fingeva di essere un'etiope liberata dalla schiavitù e saltellava per tutta la stanza, come a mimare un ballo selvaggio di felicità. *Blackface*, così si chiama quella brutta pratica razzista di dipingersi la faccia. So che tuo nonno te ne ha parlato. Ormai eravamo tutti contagiati dalla parola "impero" che Mussolini ripeteva sempre. Ci sentivamo importanti, i più forti del mondo. Mussolini lo sapeva che quella parola ci avrebbe fatto un effetto incredibile: lui era fissato con l'antica Roma. Attenzione, non amava Roma, la considerava una città parassita, ma aveva capito che era un simbolo. Nell'antichità Roma aveva conquistato tutto il mondo conosciuto e, presentandosi come suo erede, Mussolini diceva: «Sono bravo come gli antichi romani, ora io e voi siamo importanti, abbiamo un impero».

Nessuno pensava che andare a disturbare gente che non ci aveva fatto niente fosse non solo una cattiva idea, ma un'idea criminale. Tutta l'Italia era sotto un incantesimo.

Tuo nonno l'ho conosciuto l'anno dopo la fine

di quella guerra. Era il 1937. Mancavano pochi giorni alla parata militare per celebrare il primo anno dell'impero. Tuo nonno guardava in cielo, un po' spaesato. Era il primo nero che vedevo in vita mia, fuori da un libro. I neri all'epoca li trovavi solo sui libri, così credevo, e invece all'improvviso ce n'era uno per strada davanti a me. Gridai: «Papà, papà, siamo dentro la casella ventidue, siamo dentro l'avventura di Niguardina e Scalfarotto, guarda lì, papà, un ascaro, vero, in carne, ossa, divisa e fez. Eccolo, papà, un nostro suddito. Un africano. Papà...». Ora un po' mi vergogno quando penso alla mia reazione. A parte che tuo nonno non era un soldato, ma un interprete. E poi che maleducata a indicarlo con il dito così, in quel modo così sfacciato. Ma sai... ci parlavano di Africa come se fosse una distesa immensa di capanne e non un continente. Avevano idee assurde sull'Africa e sugli africani. Idee piene di razzismo. Di noi superiori e di loro inferiori. Questo ci insegnavano a scuola, te l'ho spiegato. Ora mi rendo conto di quanto fosse brutto.

Tuo nonno però è stato carino con me, mi sorrise e accettò di farsi una fotografia.

In lontananza qualcuno cantava una canzone, *Faccetta nera*.

★ *Faccetta nera* è la canzone più famosa del fascismo. La cantavano tutti: mamme, papà, figli, nipoti. Si sentiva dappertutto. La radio la trasmetteva ogni minuto; le bande di paese non perdevano l'occasione di eseguirla durante le sagre; i bambini spesso erano obbligati a cantarla a scuola; dive del cabaret ne avevano fatto il proprio cavallo di battaglia. E poi naturalmente c'erano i soldati, che il fascismo mandava in Africa a far la guerra... ecco, loro la fischiettavano allegramente mentre salivano sulle navi dell'esercito. Oggi, invece, quando la sentiamo anche solo canticchiare ci vengono i brividi.

Lo so, cara, e lo sa anche tuo nonno quello che ti

è successo con questa canzone. Tuo nonno sa tutto di te, anche se lo vedi solo in sogno. Lui è insieme a te in ogni istante quando sei felice, quando mangi e soprattutto quando piangi e cerchi qualcuno che ti consoli. E in quei momenti miracolosamente ti calmi. Be', ricordati che ogni volta che sei giù di morale, anche se non lo vedi, c'è tuo nonno con te. È lui a dirti: «Asciugati le lacrime, nipote, e vai avanti, che sei la più forte del mondo».

Lui sa quello che ti è successo a scuola. Sa dei due ragazzi che ogni giorno per mesi ti hanno aspettato all'uscita da scuola per farti il saluto fascista. Sa che poi quei due ti cantavano, quasi come fosse uno schiaffo, quella canzone: *Faccetta nera*. Sa che l'hai odiata tanto, quella canzone. Ma sa anche che ne ignoravi completamente la storia, anche se avevi capito benissimo da sola che era una canzone razzista.

Il nonno sa proprio tutto, cara. I nostri antenati – ricordatelo sempre questo – hanno i superpoteri e vedono oltre la nostra anima.

Allora te la racconto io la vera storia di *Faccetta nera*. Così se qualcun altro ci riprova come hanno fatto quei due, tu vai lì e gli dici tutta la storia. Perché, sai, chi la canta non la conosce per davvero l'origine della canzone. Chi canta ancora *Faccetta nera*, e non sono solo quei due bulli di scuola che te la cantavano addosso, lo fa per fare polemica e per mostrare che se anche l'Italia oggi è antifascista, loro sono rimasti fascisti e razzisti... e se ne vantano pure. La cantano per sfidare la Costituzione e la democrazia. Di solito la cantano in modo arrogante e sprezzante, come per dire: io posso tutto, persino cantare questa canzone che a voi che credete nella pace e nella democrazia dà tanto fastidio.

Altri, anche giovanissimi, ce l'hanno persino come suoneria del cellulare. Ce l'hanno perché lo trovano trasgressivo e perché dicono che in fondo quando c'era Benito Mussolini qui in Italia le cose andavano bene. I treni passavano in orario, c'erano più sicurezza, più soldi, si stava bene e, insomma, noi italiani eravamo rispettati da tutti. Ma, come ti ho raccontato, in realtà sotto il fascismo la vita costava cara. Dovevi stare attento a come spendevi i tuoi soldi. Se no volavano via.

La verità è che il fascismo stava facendo precipitare l'Italia nel baratro. Di lì a poco Mussolini avrebbe trascinato il paese nella Seconda guerra mondiale che è stata una carneficina, e poi mica era vero che i treni arrivavano in orario... chiedilo a mio padre, che a causa dei treni arrivava sempre in ritardo a casa.

La verità è che il paese era pieno di diseguaglianze: c'erano pochi ricchi e tanti poverissimi, che si facevano andar bene il fascismo perché essere poveri era già dura.

Ma, ecco, tornando a *Faccetta nera*, chi la canta oggi pensa che la canzone sia l'inno del fascismo e che Mussolini la adorasse, ma in realtà la storia di questa canzone è ben strana. Pensa che Mussolini la odiava, anzi provò anche a farla censurare, la voleva far scomparire, ma era troppo famosa e non riuscì nel suo intento.

Ti ho già detto molte volte come a scuola ci raccontassero delle bugie, a cui noi però credevamo. Tutta l'Italia credeva a quelle menzogne, a causa della propaganda: il fascismo usò ogni mezzo, dalla radio al cinema, alle foto di Mussolini sui quaderni di scuola, per convincere gli italiani e le italiane che il fascismo era bello, buono, meraviglioso, e che Mussolini era un santo, un padre, un eroe.

La propaganda è proprio questo: usare ogni mezzo che si ha a disposizione per convincere l'opinione pubblica che una certa idea è buona. Ecco perché il fascismo riempì di bugie la testa degli italiani e delle italiane. Anche il Gioco dell'oca con cui giocavo io da bambina, con tutte quelle caselle piene di soldati e di battaglie, era propaganda.

Devi tenere a mente che all'epoca non esisteva ancora la televisione. La gente andava a vedere i telegiornali al cinema, che per questo si chiamavano "cinegiornali". In casa la gente aveva la radio, invece, e ascoltava tanta musica. Come nelle canzoni di oggi si parlava molto di amore, ma a volte erano semplicemente canzoni da ridere.

Un cantante famoso, che piaceva tanto alla mia mamma, era Alberto Rabagliati che cantava *Baciami piccina*. O c'era il Trio Lescano: ragazze olandesi, ebree come me, che avevano la voce di un cartone animato, e cantavano *Pippo non lo sa*.

Insomma, c'erano canzoni per tutti i gusti. E visto il successo della radio, chi scriveva le canzoni era pieno di lavoro. Ma poi il clima cambiò, Mussolini aveva deciso che anche i testi delle canzoni dovevano parlare dell'Etiopia e della guerra che il fascismo aveva scatenato. E fu così che iniziarono a uscire canzoni su questo tema: *Faccetta nera* fu una di queste mille canzoni coloniali.

La canzone parla di una ragazza: "faccetta nera" appunto. Di questa ragazza sappiamo solo il colore della pelle. L'autore del testo della canzone non le dà un nome, è una suddita coloniale, nella mentalità dell'epoca fascista e coloniale un'inferiore. E la canzone dice a questa donna, che è una schiava: "Guarda, io sono l'italiano buono che fra un po' ti verrà a salvare, spezzerà le catene che hai ai piedi e tu non solo sarai libera, ma sarai una suddita dell'Italia, e ti farò conoscere il re e Benito Mussolini".

L'autore delle parole di *Faccetta nera* si chiamava Renato Micheli, le aveva scritte di getto dopo aver letto una notizia sul giornale. Voleva portare la sua creatura al Festival della canzone romana, ma non ci riuscì. Ah sì, perché non ti ho detto una cosa importante: la canzone era nata in dialetto romanesco. A questo testo in un secondo momento venne aggiunta la musica di Mario Ruccione. Una musica orecchiabile, una marcetta, che ha molto ritmo. Poi venne cantata da Carlo Buti, un cantante famosissimo dell'epoca, che la portò al successo.

La prima esecuzione di *Faccetta nera* fu al teatro Quattro Fontane di Roma, che oggi è un cinema. Lì una ragazza nera venne portata sul palco in catene e Anna Fougez, una diva dell'epoca, avvolta da un tricolore, si esibì mostrando come l'avrebbe liberata a colpi di spada.

La canzone da quel momento in poi decollò e fu un grande successo. Anche se raccontava la grande bugia che il fascismo aveva raccontato agli italiani e a me e ai miei compagni a scuola. La guerra non veniva quasi mai presentata agli italiani come una guerra di conquista, ma come una guerra di liberazione.

Il meccanismo non è molto diverso da quello a cui assistiamo ancora oggi. "Andiamo a liberare i vietnamiti! Andiamo a liberare gli iracheni! Andiamo a liberare gli afghani!" Poi, in realtà, lo sappiamo bene, non viene liberato nessuno, anzi si fa la guerra per sfruttare meglio i territori e i popoli.

Comunque il testo di *Faccetta nera* non piaceva a Mussolini, perché ci vedeva troppa amicizia tra gli italiani e gli etiopi. E questo per i suoi piani non andava bene: gli italiani dovevano muovere la guerra agli etiopi, mica farci amicizia. Per questo provò a farla sparire dalle radio, a far cambiare il testo agli autori, a far scrivere articoli che dicevano che *Faccetta nera* era una brutta canzone. Pensa quanto era matto Mussolini, non gli andava bene una canzone razzista come *Faccetta nera*, perché era troppo poco razzista per i suoi gusti.

Nel 1937 avrebbe fatto introdurre le leggi razziali nelle colonie e nel 1938 avrebbe fatto le leggi razziali contro noi ebrei in Italia, ci avrebbe cacciato dal lavoro e dalla scuola. Già fin dal 1935 aveva l'idea di un impero diviso in razze superiori (per lui gli italiani) e razze inferiori (negli inferiori metteva noi ebrei, i somali, i libici, gli eritrei, gli etiopi). Padroni e servi.

Le razze – lo so che ne sei consapevole, ma meglio sempre ripeterlo – non esistono. Siamo tutti della stessa razza umana, ma il razzismo questo fa: divide le persone in base al colore della pelle, alla religione, al genere.

Le razze non esistono, ma il razzismo esiste

purtroppo. E Mussolini questo era: un razzista. E lo erano anche tutti gli altri fascisti.

Ma il razzismo, questo ricordatelo sempre cara, non finì con il fascismo. Purtroppo esisteva prima di Mussolini ed è continuato anche dopo. Pensa a tutte le parole storte e alle discriminazioni che si vivono ancora oggi. Pensa a tutte le volte che qualcuno ti ha insultato per strada. Ecco, il razzismo è una piaga che ha attraversato varie epoche, varie classi sociali, vari partiti, vari popoli. È una piaga che non siamo riusciti a sradicare. Ma un giorno ce la faremo, a vincerlo.

Oggi chi canta *Faccetta nera* non conosce questa storia, ma adesso che te l'ho raccontata quando i bulli proveranno a cantartela tu raccontagli la vera storia e poi vieni a dirmi che faccia fanno, sono curiosa.

13

La signora Lia si voltò alla sua sinistra e versò il tè a qualcuno: era il nonno, seduto insieme a noi ad ascoltarci da un po'. E fu lui a quel punto a raccontare.

Sono contento che tu abbia conosciuto Lia. E sono contento che sia stata lei a raccontarti come vivevano i bambini in Italia.

Lia è proprio fantastica. Un giorno dovrai leggere le sue poesie, sono meravigliose. Ti ha raccontato la "sua" guerra in Etiopia, quella che hanno raccontato agli italiani e alle italiane, una guerra fatta di segreti e di bugie. Negarono sempre di aver usato i gas. Dicevano: «Abbiamo portato la civiltà ai selvaggi». E a quelle bugie di Mussolini gli italiani hanno creduto ciecamente. Se sappiamo dei gas lo dobbiamo a uno storico italiano, Angelo Del Boca, che nel dopoguerra ha dedicato la sua vita a scrivere di colonialismo italiano. E a tanti altri storici e storiche che per fortuna lo hanno seguito. Oggi sappiamo tante cose grazie al loro lavoro. Pensa che l'invasione dell'Etiopia è stata il momento di più alto consenso per Benito Mussolini. Sì, la maggior parte degli italiani e delle italiane erano contenti. Che cosa orrenda! Poi il consenso è sceso fino a precipitare con la Seconda guerra mondiale. Ma dell'invasione in Etiopia, è bene saperlo, erano tutti contenti.

Io di quell'anno di guerra invece ho un ricordo sfocato. Ero pieno fino al collo di lavoro e, ti dirò, non è che ci davo tanto peso in quel momento, alla guerra. Per me significava solo che il lavoro che mi davano da fare gli italiani cresceva a dismisura. In Somalia come in Eritrea arrivava il materiale che serviva agli italiani per combattere. Entrambi i Paesi erano usati come giganteschi magazzini.

Quindi in quel periodo mi capitò di stare al porto a tradurre e dirimere ogni piccolo problema che poteva nascere. Oppure stavo in ufficio in mezzo ad altre scartoffie. In un certo senso, anch'io come Lia sapevo della guerra quello che i fascisti mi raccontavano. Perché anche se la Somalia era vicina all'Etiopia, non era così vicina da vedere cosa combinavano lì. E di cose purtroppo ne hanno combinate. Lo so, sbagliavo. Ma allora proprio non mi domandavo se quella guerra fosse una guerra giusta o sbagliata.

In realtà ora lo so: le guerre sono tutte sbagliate, ma in quel momento avevo la testa vuota, non pensavo a nulla. Anche se a volte, in un lampo, mi ricordavo com'era stata brutta la guerra nel Nord della Somalia e in cuor mio pregavo per gli etiopi affinché Dio Onnipotente li salvasse da quella disgrazia che era piombata su di loro.

Ma in generale ero troppo preso dal mio lavoro

per pensare. Passivamente mi arrivavano le notizie di quella o questa città conquistate dagli italiani, di quella o questa grande battaglia, di quella o questa azione considerata valorosa dai soldati italiani. Mi arrivava più che la guerra, la propaganda della guerra.

Vedevo però che gli italiani erano diventati molto arroganti anche con noi in Somalia. Gonfiavano il petto e se ne andavano in giro come pavoni a vantarsi di quanto fossero forti, belli, bravi. E ci trattavano peggio del solito, per un nonnulla si arrabbiavano. Insomma, io avevo sempre il terrore di perdere il lavoro. Avevo una famiglia da sfamare, e affondavo la testa nelle scartoffie. Cercavo di non incontrare mai il loro sguardo. Mi facevano troppa paura. A volte toccava anche mostrarsi felici davanti ai fascisti: per esempio, quando avevano conquistato una città etiope dovevamo saltellare come grilli anche noi, felici per il futuro impero. Ecco, questa cosa mi umiliava. Sapevo che molti etiopi erano morti a causa di quella guerra (anche se non immaginavo che ne fossero morti così tanti e per colpa dei gas) e non mi sembrava proprio il caso di saltellare. Ma se non lo facevi rischiavi... molto... E a me serviva il lavoro, non lo potevo perdere. Grazie al mio lavoro aiutavo papà, mia moglie, i miei figli e tanta altra gente di Brava che aveva bisogno.

Ricordo che quando Mussolini disse di aver vinto e di avere un impero, vedemmo gli italiani festeggiare come se fosse Carnevale. Ricordo che ballarono per intere settimane, impazziti di gioia. Che cosa brutta impazzire di gioia quando sai di aver fatto del male ad altre persone.

Io non lo sapevo ancora, ma qualcosa stava cambiando dentro di me. Non sopportavo più la situazione, ma dovetti aspettare un anno prima di esplodere. Sai, nipote, quando dicono che la goccia fa traboccare il vaso? Per me quella goccia è stato l'anno 1937.

Ci furono due episodi chiave.

Il primo fu che incontrai mio cugino Elias per

strada. Era parecchio tempo che non lo vedevo. Era pallido e tremava tutto. Camminava piegato e aveva un bastone.

Sapevo che era stato ferito in guerra, ma non sapevo come, dove. Gli andai incontro a braccia aperte, ma lui non si fece abbracciare. Aveva gli occhi spenti e gli angoli della bocca piegati all'ingiù. Poi mi accorsi che al posto della mano destra aveva una specie di uncino, come il nemico di Peter Pan. «Cosa ti è successo?» chiesi allarmato. Per un po' lui non mi parlò. Ma io insistevo: «Cugino, nemmeno mi saluti? Perché ti rifiuti di farti abbracciare?».

Fu allora che, con una voce che sembrava gelatina, disse: «Gli italiani mi hanno trasformato in un mostro».

Lo guardai perplesso.

«Mi hanno fatto uccidere dei fratelli, neri come me, che non mi avevano fatto nulla». Poi pianse e scappò via.

Al momento non capii quelle parole, ma quando andai in Etiopia, e vidi quello che vidi, le lacrime del cugino Elias mi furono chiare come il sole. Il cugino che ammiravo, che mi aveva messo in testa di andare a lavorare per gli italiani, che già ne aveva fatte di cotte e di crude, ora mi diceva che aveva sbagliato tutto. Lì per lì mi sembrò strano, ma invece non lo era.

Tutti i colonialismi, quello italiano compreso, hanno messo fratelli contro fratelli, africani contro africani, asiatici contro asiatici e così via. Costruivano truppe coloniali, le pagavano due lire, e le usavano nei campi di battaglia, in primissima linea, per le loro sporche guerre. In Etiopia furono usati dubat somali e ascari eritrei, c'erano anche truppe libiche. Gli italiani non volevano che i colonizzati si alleassero tra loro e li cacciassero rendendo il continente africano libero e indipendente.

Il secondo episodio chiave, nipote, fu quando andai in Etiopia alla fine di gennaio del 1937. Ero lì al seguito di alcuni nostri capi, con me altri tre colleghi. Dovevamo essere mostrati agli etiopi come funzionari modello. Addis Abeba da buona città dell'altopiano era fresca e gli italiani in città erano frenetici: ovunque si volevano costruire strade e palazzi nuovi. Le insegne in amarico, la lingua dell'Etiopia, furono sostituite tutte da insegne in italiano. E la sera gli italiani giocavano a bridge o andavano in giro per locali dove potevi trovare giocolieri greci o trapezisti russi.

Io vagavo per le strade e notai improvvisamente qualcosa. Notai gli occhi degli etiopi. Brillavano. Erano pieni di forza, non erano occhi sottomessi, ma occhi che volevano riprendersi la loro terra e resistere contro gli invasori. Erano occhi che volevano riavere la propria libertà. Quegli occhi che in Italia o in Francia avrebbero avuto i partigiani che combatterono contro l'occupazione nazista durante la Seconda guerra mondiale.

L'Etiopia quello stava vivendo, truppe straniere la stavano occupando e le stavano togliendo tutto e i suoi abitanti resistevano. E non erano solo gli occhi a mostrare la loro forza, ma anche tutto il resto del corpo. Le mani immobili, le bocche serrate, la postura fiera. Erano un bel popolo che non voleva farsi mettere i piedi in testa. Sentivano che la loro situazione sarebbe cambiata. Lo dicevano pure gli indovini e i cantastorie del paese: gli italiani dureranno poco, il loro impero è di pasta frolla, crollerà tutto e saremo liberi. E alcuni giovani, donne e uomini, già in quell'inizio 1937 avevano compiuto azioni per liberare il proprio popolo.

Gli italiani si sentivano sempre più insicuri. A parole avevano conquistato un impero, con metodi discutibili, ma nei fatti gli etiopi non li volevano e cercavano di cacciarli in ogni modo. Gli etiopi resistevano. Ma prima di liberarsi quel popolo avrebbe dovuto attraversare la sofferenza.

Arrivò il 19 febbraio 1937, data indelebile nella mia memoria, e niente fu più lo stesso per me, per l'Etiopia e l'intero Corno d'Africa.

È stato il giorno più scioccante della mia vita, non so se riuscirò a raccontartelo bene.

Nel 1937 il governatore dell'Etiopia era Rodolfo Graziani, uno dei due generali che avevano invaso il paese e che avevano usato i gas contro la popolazione. Una persona davvero cattiva. Ne ha fatte troppe, una sorta di Lucifero, ma senza quell'intelligenza che può avere il Joker di Batman. Era anche un po' stupido, Graziani. Aveva manie di grandezza. Non voleva solo governare, ma anche farsi amare dal popolo etiope. Un controsenso. Aveva gettato i gas durante la guerra, come pretendeva di essere amato? Decise che per farsi benvolere doveva far sua una delle vecchie feste dell'imperatore Hailé Selassié.

Era il 19 febbraio, giorno della Purificazione della Vergine secondo il calendario ortodosso, ma era anche il compleanno del primogenito dei Savoia, Umberto, quello che avevo personalmente portato in giro per la Somalia nel 1928, quasi nove anni prima.

Graziani aveva deciso di elargire un'elemosina ai poveri, voleva distribuire cinquemila talleri d'argento. E questa cosa lo faceva sentire "fico", anzi "fichissimo". Lo faceva sentire addirittura buono, lui che era un uomo davvero maligno.

Ma mentre si stava facendo questa distribuzione di talleri d'argento, accadde una cosa incredibile. Il cortile della celebrazione era gremito di poveri e di quell'aristocrazia etiope che aveva aiutato gli italiani durante la guerra, gente che si era venduta al nemico contro la propria gente. C'erano tanto rumore, tante voci, mille chiacchiere. Sembrava una giornata normale. E poi improvvisamente da quella moltitudine qualcuno tirò una granata, lanciandola verso il palco dove stava Graziani. Fu tutto veloce, come nei videogame: un attentato. Graziani venne ferito, ma non mortalmente.

Questo attentato fece arrabbiare Graziani e fece arrabbiare ancora di più Mussolini in Italia.

E così scattò la vendetta dei fascisti.

Quando tutto questo succedeva non ero in quel cortile, ero in giro per la città a passeggiare allegramente. Mi piaceva Addis Abeba. È una città così interessante. Soprattutto, ero incantato a guardare le facce luminose delle persone per strada.

Per un bel po' non mi accorsi di niente. La gente era affaccendata nelle sue incombenze quotidiane. Chi faceva la spesa, chi vendeva la frutta, chi riparava una strada, chi rattoppava un tetto, chi spazzava una piazza, chi studiava le tabelline, chi sgranocchiava una pannocchia, chi giocava con i gatti, chi badava alle galline, chi sognava di diventare architetto e così via. Ognuno era nel suo mondo o in mezzo a una conversazione con la mamma, il papà, la fidanzata, il maestro, la suocera, il cognato, i nipoti...

Poi vidi del fumo che si alzava prepotentemente alle mie spalle e sentii delle urla. Su di me piombò un'onda, o almeno quella fu la mia sensazione: un fiume in piena o la lava che distrusse Pompei. Più quell'onda anomala avanzava e mi veniva vicino, più pensavo a un mostro fatto di schiuma. Insomma, vidi qualcosa che presto ci avrebbe travolto, come uno tsunami, e ne fui terrorizzato.

Non sapevo cosa fosse. So solo che cominciai a correre. E corsero tutti gli altri intorno a me. E solo allora, quando tutti si misero a correre, mi accorsi che quella marea che stava arrivando, quel mostro di schiuma, era semplicemente gente che correva come noi. Nessuno sapeva dire da cosa stesse fuggendo. C'era il panico dappertutto. Nemmeno io sapevo da cosa stavo fuggendo. So solo che continuavo a correre come un matto. Con la paura immensa che mi faceva sobbalzare il cuore a ogni falcata.

Avevo paura di non rivedere i miei figli, mia moglie, mio padre, la nostra luminosa città di Brava.

Poi inciampai e caddi. Qualcuno mi calpestò. Sarei potuto morire schiacciato, ma una donna di nome Abeba mi raccolse.

Ci credi, nipote? Per un giorno intero non ripresi conoscenza. Quando mi rialzai, stavo in un luogo buio, in una specie di cantina nel sottosuolo, con due giovani, Abeba e suo fratello Dagmawi. Stavo per dire qualcosa ad alta voce, nel poco amarico che sapevo, ma ricordo che in quel buio fitto Abeba mi mise la mano sulla bocca e mi disse solo: «Sssh».

Rimanemmo in silenzio per altri quattro giorni. Mangiando solo piccoli frutti di zeitun, ma non avevamo fame, avevamo solo paura. Perché, sì, noi stavamo in silenzio, ma da fuori arrivavano suoni terribili di morte.

Poi per un giorno intero si fece silenzio, ma non ci fidavamo ancora. Alla fine, stanchi e affamati, uscimmo da quella cantina bunker.

Vidi qualcosa. Ma fu talmente scioccante che i miei occhi si rifiutarono di capire quelle immagini che si proiettavano sulla mia retina. Ricordo solo i bisbigli. Erano persone che mi dicevano all'orecchio i loro nomi, la loro età, il mestiere che facevano e se erano studenti cosa stavano studiando. Raccolsi per ore intere i nomi da tutta la città.

Io sono Aselefech, faccio l'injeera e lo zighinì migliori di Addis. Io sono Ogbai, riparo le scarpe. Io sono Berechti, domani mi sposo. Io sono Maconnen, voglio diventare uno scrittore. Io sono Abiy, sono un partigiano. Io sono Hayat, sono guarita da una malattia. Io sono Abebe, faccio le invenzioni. Io sono Tedros, faccio nascere i bambini. Io sono Kia, domani devo nascere. Io sono Yonas e domani divento sacerdote. Io sono Ephrem e sono innamorato.

Per ore raccolsi voci, e sentivo le loro carezze sulle spalle, ma continuavo a non vedere nulla. Accanto a me c'erano Abeba e Dagmawi, piangevano. Loro vedevano, ma avevano capito che io non vedevo ancora nulla. Poi a un certo punto la nebbia che mi copriva gli occhi si diradò. E vidi. E non ho più potuto dimenticare quello che vidi.

Capii che quelle voci che avevo raccolto erano fantasmi, gente che non c'era più.

Gli italiani avevano ucciso più della metà della città, e chi non era morto era ferito nell'anima.

Era stata una strage.

Ora quei giorni terribili del 1937 sono ricordati dagli etiopi come quelli della strage di Addis Abeba, che però non finì con il massacro del 19 febbraio.

I fascisti fecero uccidere pure gli indovini e i cantastorie, perché avevano predetto la fine della loro invasione. Dovevano essere puniti per la loro conoscenza del futuro. E a Debra Libanòs, una città conventuale di giovani innocenti diaconi, successe lo stesso.

Fu un momento molto triste per l'Etiopia, molto triste per chi aveva a cuore la libertà.

Giurai a me stesso che non avrei più lavorato per i fascisti. Quando tornai a Mogadiscio mi licenziai e tornai a lavorare con mio padre all'emporio. Poi arrivò la Seconda guerra mondiale e, come sai, l'Italia la perse, e con la guerra perse le colonie.

Ci volle un po' per tornare liberi. Ma il 1° luglio 1960 la Somalia divenne formalmente indipendente e tuo nonno fece la sua parte per quel bel traguardo. Divenni persino deputato del Parlamento somalo.

Negli anni Sessanta poi tornai ad Addis Abeba. Dovevo vederla ancora.

In centro gli etiopi avevano fatto costruire un

monumento per ricordare quel giorno terribile, il 19 febbraio 1937, che nel calendario ortodosso corrisponde allo Yekatit 12. Per questo il monumento porta il nome del giorno, Yekatit 12.

L'obelisco fu realizzato nel 1955 da due scultori jugoslavi, Antun Augustinčić e Frano Krnišc, in collaborazione con gli etiopi Yofè Negusie e Ageghue Engeda. Era tutto bianco, e su uno dei suoi lati c'era un leone di Giuda, simbolo dell'Etiopia. C'erano le scene di quel giorno, ma anche l'energia di quel popolo etiope che è riuscito a rialzarsi e che ha combattuto chi lo aveva invaso.

Io mi fermai lì e ascoltai le voci che si rivolgevano a me. Erano Aselefech, Ogbai, Berechti, Maconnen, Abiy, Hayat, Abebe, Tedros, Kia, Yonas, Ephrem e tutti i fantasmi che mi avevano parlato quel giorno.

Avevo un mazzo di fiori in mano e un po' di sassi in tasca. Tremavo. Deposi i fiori ai piedi del monumento come faceva ogni 19 febbraio l'imperatore Hailé Selassié, che quando furono cacciati i fascisti si era ripreso il trono. Lasciai anche i sassi, perché da noi in Somalia sulle tombe vanno lasciati sassi, per dire a chi non c'è più che non ci siamo dimenticati di loro.

Quel giorno accanto a me c'era una signora, non aveva i capelli viola come la nostra Lia, ma erano tutti neri e arrotolati in una crocchia in cima alla testa. Sembrava un po' rinascimentale la sua figura. Pregava con le mani giunte, alla maniera dei cristiani.

Fu allora che la guardai bene e dissi in italiano. «Scusi se la disturbo, ma sono certo che lei, signora, è italiana.»

«Parla la mia lingua... è etiope?»

«No, sono somalo» dissi io.

«Ahi, anche a voi in Somalia abbiamo fatto del male.»

La signora aveva gli occhi lucidi. Io non la interruppi, la lasciai parlare.

«Mi chiamo Elisabetta. Mio padre Franco non sta bene, se no sarebbe venuto lui. Mi ha dato un compito. Di portare qui un fiore per l'Etiopia.»

«Era un partigiano, uno dalla parte giusta?»

«No, purtroppo no. Guidava gli aerei che hanno bombardato l'Etiopia.»

«Oddio» mi scappò.

«La guerra l'ha cambiato. Ha visto tante cose brutte. È stato in Russia, la ritirata con gli stivali rotti è stata tremenda per lui. Era pure ferito. Ed è stato mentre tornava a piedi dalla Russia che ha capito che il fascismo ci aveva riempito la testa di bugie. Ecco perché sono qui. Mi ha detto di chiedere scusa agli etiopi. Siamo stati dei maledetti con loro. Eravamo il diavolo, Satana in persona.»

Guardai la donna che piangeva e piansi anch'io, e mormorai le mie scuse, anch'io.

Non ero fascista. Non lo sono mai stato. Ma ho lavorato per loro. E il peso ogni tanto lo sento nel cuore.

Poi sentii tutte le voci di quel 19 febbraio che mi accarezzavano. Sentivo le mani dolci di Aselefech, Ogbai, Berechti, Maconnen, Abiy, Hayat, Abebe,

Tedros, Kia, Yonas, Ephrem e tutti, tutte i fantasmi che mi avevano parlato di loro quel giorno. Erano lì con me e non li avrei mai dimenticati.

Ora il nonno ogni tanto mi viene a trovare in sogno. Parliamo di altre cose. Di quando è diventato deputato, di quei giorni belli in cui la Somalia è diventata indipendente... di quando i somali e le somale cantavano a squarciagola insieme a Magool, la cantante più famosa della Somalia: «*Maanta, Maanta, Manta*... oggi, oggi oggi... oggi è il giorno della nostra indipendenza». Di quanto era bello veder issata la bandiera del paese, blu con la stella in mezzo, una stella a cinque punte come i territori della Somalia. Una stella bellissima come quelle che facevano battere il cuore a mio padre Ali. La nostra stella della libertà.

EPILOGO

Come vi ho detto all'inizio di questa storia, non ho conosciuto davvero mio nonno, l'ho visto solamente in fotografia.

Le cose che vi ho raccontato sono vere oppure il frutto di quello che ho capito di lui dalle storie di famiglia. Ho chiesto a molte persone. Di lui sappiamo per certo che lavorò per i fascisti come interprete e che accompagnò il gerarca del momento nella guerra nel Nord della Somalia. Fu interprete del perfido Graziani, e per me, sua nipote, nata nella Roma antifascista, Graziani è davvero il male assoluto, un criminale di guerra che nessuno ha mai processato. Per anni mi sono chiesta com'è stato per il nonno tradurre il male. Quali scorie di questo fascismo si è portato dietro.

L'episodio di mio padre e del re, l'inchino mai avvenuto, invece, me lo ha raccontato mille volte mio padre.

Oh, quanto mi manca, mio padre. Ci ha lasciato da poco e ogni volta che chiudo gli occhi mi sembra di ripercorrere il passato insieme a lui. Ho imparato tanto del Novecento ascoltando papà.

Quindi questa storia è un po' vera e un po' verosimile. Avevo bisogno di rivedere il nonno in sogno e forse in sogno, perché mi raccontasse in prima persona tutto quello che in famiglia non mi hanno saputo raccontare di lui.

Il resto viene dal mio osservare. Anni fa insieme a un mio amico, Rino Bianchi, ho scritto un libro dal titolo *Roma negata*. In quel libro Rino con le sue fotografie e io con le mie parole siamo andati in giro per la città a caccia di monumenti e toponomastica coloniale. Ogni città, e la nostra Roma forse più di altre, ha tracce di quel periodo. Abbiamo trovato la stele di Dogali, che è anche il posto dove nonno e nipote vanno nel libro che avete appena letto: piazza dei Cinquecento, dedicata alla battaglia di Dogali del 1887, che è la piazza della stazione Termini; il quartiere africano; il ponte Principe Amedeo Savoia Aosta; il palazzo della FAO, che doveva diventare il Ministero delle colonie; via dell'Amba Aradam, dedicata a una sanguinosa battaglia coloniale; i mosaici del Foro italico e i bassorilievi del palazzetto dell'INPS all'EUR.

Eravamo a caccia di quei luoghi, che spesso l'abitante della città non sa riconoscere come luoghi coloniali e che attraversa quotidianamente ignorando la loro storia. Io e Rino abbiamo tentato di spiegarli. Al centro di tutta la nostra ricerca di allora c'è una piazza romana che oggi è un semplice snodo stradale con semaforo e tanto traffico, conosciuta con il nome di piazza di Porta Capena. È lì che Mussolini fece portare l'obelisco di Axum. Lui, ve l'ho detto già nelle pagine che avete letto, era un po' fissato con gli obelischi.

Lo facevano sentire fico e voleva imitare l'antica Roma che aveva riempito ogni strada di obelischi depredati dall'Egitto. Mussolini voleva essere imperiale come gli antichi Romani. E quindi si è rubato la stele degli etiopi e l'ha messa a piazza di Porta Capena, non a caso. Perché, nella sua testa, voleva legare la Roma antica (via dei Fori Imperiali e il Colosseo) alla sua Roma.

Per chi non conosce la città, l'EUR è nato per essere il cuore di un'esposizione universale, organizzata dal regime fascista, che poi non è mai avvenuta a causa dello scoppio della Seconda guerra mondiale. Piazza di Porta Capena era al centro di tutto questo, univa l'antico impero e il nuovo impero... Per fortuna il nuovo impero è durato pochissimo e l'Africa si è ripresa la sua libertà.

Ma quello che volevo raccontare è questo: l'Italia repubblicana, nata grazie alla lotta contro il fascismo, impiegò tantissimi anni a restituire la stele ai legittimi proprietari. E questa, se ci pensate bene, è proprio una cosa vergognosa che ha fatto il nostro paese. Dopo la guerra, infatti, gli etiopi la richiesero indietro subito, ma costava troppo trasportarla fino in Africa e ogni volta l'Italia inventava scuse diverse per non restituirla. Insomma, l'Italia ha fatto una figuraccia a non restituire il maltolto. E quando si è decisa, è stato davvero tardi.

C'è una storia che spiega la grande figuraccia del nostro paese davanti all'Etiopia.Una storia bella, che fa capire che a volte basterebbe poco per fare la cosa giusta. Siamo nel 1960, a Roma ci sono le Olimpiadi. Sono Olimpiadi bellissime, mio papà me lo ha sempre detto: Roma brillava ed era splendida. Furono disputate tante gare, dalla ginnastica artistica al nuoto, dalla corsa al salto in alto. E naturalmente c'era la regina delle gare d'atletica leggera: la maratona.

La gara era cominciata nei pressi del Campidoglio, dove si trovava e si trova ancora il comune di Roma, e il percorso prevedeva di passare per l'Appia antica. Mi sembra di vedere tutti gli atleti. Che sogno! Sono ai nastri di partenza, tutti lì pronti. Il telecronista si accorge però che uno dei corridori è senza scarpe e racconta il fatto come una bizzarria, come sono pazzi certi atleti. Quel corridore si chiama Abebe Bikila, è etiope, anzi era stato addirittura una guardia dell'imperatore d'Etiopia, quello che il fascismo aveva fatto tanto soffrire, e Abebe Bikila correva a piedi nudi non perché era pazzo, ma perché aveva provato il percorso insieme al suo allenatore svedese, Onni, e avevano notato che a piedi nudi correva più veloce.

I piedi nudi lo fecero subito passare in testa, ma gli permisero anche di vedere due volte la stele di Axum, la stele che il fascismo aveva rubato alla sua Etiopia. Infatti il percorso passava per ben due volte lì davanti. Vedere la stele gli diede la carica giusta per vincere: stava vincendo per il suo paese e per quella stele ancora sequestrata dagli italiani. Vincere significava avere giustizia per tutto il male che l'Italia aveva fatto all'Etiopia.

La stele è legata anche a un altro episodio. È

legata a quando l'imperatore d'Etiopia Hailé Selassié venne in visita in Italia su invito di Aldo Moro. Dovevano discutere proprio della stele. Ma il giorno del suo arrivo il protocollo evitò di fargliela vedere, facendo un giro lunghissimo per andare al Colosseo, per evitare piazza Capena.

Molti italiani scesero in strada per vedere l'imperatore e chiedere scusa per quello che avevano fatto i loro nonni o padri in Etiopia. Certo, molti scesero in strada anche per motivi più semplici come la curiosità, ma qualcuno scese in strada al suo passaggio per riconciliarsi con lui e la sua Etiopia.

Infine la stele fu restituita, negli anni Duemila. E al suo posto oggi c'è un vuoto. Anzi, su un lato della piazza è stato collocato un monumento che nessuno conosce a Roma, dedicato all'11 settembre 2001. È una storia triste, se ci pensate: l'11 settembre meriterebbe un monumento più conosciuto e non quelle due colonnine un po' storte che fanno quasi da spartitraffico. Ma quello che manca in quella piazza è un monumento per ricordare le vittime del colonialismo italiano. In quella piazza in cui è stata sequestrata per decenni una stele, quindi la stessa anima degli etiopi. Non è un luogo neutro. È un luogo di dolore.

Servono monumenti, targhe, serve che l'Italia si ricordi di quello che ha combinato in Libia, Eritrea, Somalia, Etiopia.

Perché dovete sapere che per molti anni l'Italia ha preferito non parlare di colonialismo. L'argomento è stato rimosso per molto tempo. Non ci sono stati libri o film sull'argomento, non era studiato a scuola e non c'è stata una riflessione nemmeno tra gli intellettuali.

Nella scuola italiana si parla ancora troppo poco di colonialismo e in particolare di colonialismo italiano. Anche se le cose stanno cambiando, grazie alle professoresse e ai professori che si sono rimboccati le maniche e stanno spiegando questa parte della storia in classe. Sapete, serve fare memoria, serve che l'Italia ricordi di essere stata colonialista fin dai tempi dell'Italia liberale.

Serve la memoria, se no succedono cose un po' strane, come quella di Affile, una cittadina laziale dove invece di costruire un monumento alle vittime del colonialismo, è stato eretto un monumento dedicato a Rodolfo Graziani, un criminale di guerra che come avete letto si è macchiato di molti crimini contro libici ed etiopi.

Un monumento della vergogna. È come se in Germania qualcuno si svegliasse e dedicasse un monumento a Adolf Hitler. Impensabile! Naturalmente a nessuno in Germania verrebbe in mente di fare una cosa così abominevole. Da noi è successo, *sigh!* Da noi qualcuno si è svegliato una mattina e usando fondi pubblici ha costruito un monumento all'orrore, a una persona che ha sulla coscienza tanta gente. Di fatto quel monumento è una ferita alla nostra Repubblica italiana (e alla Costituzione) nata dalla lotta contro il nazifascismo. È una ferita immensa, un monumento vergognoso che andrebbe semplicemente tolto dal paesaggio. Speriamo che le istituzioni lo facciano presto. Si può togliere perché non è un monumento storico, è stato costruito nel 2012 e con delle cattive intenzioni. Invece altra cosa sono i monumenti costruiti durante il fascismo, monumenti problematici, ma che non vanno tolti dal paesaggio. Anzi vanno conservati, studiati e spiegati alla popolazione e quando si può *risignificati*, per far capire a tutti (senza abbatterli, ma con la forza delle parole e delle azioni culturali) che ogni oggetto e quindi ogni monumento ha una storia tossica e difficile alle spalle che non va negata, ma conosciuta.

Ecco perché è importante conoscere la storia del colonialismo. Perché non è ancorata al passato, ma ha conseguenze nel presente. Le migrazioni di oggi seguono le linee coloniali del passato. Noi (nel senso di migranti, figli di migranti) siamo qui, perché voi (inteso non voi voi, ma l'Europa, l'Occidente) siete stati lì, in Africa, a spartirvela. E quel stare lì dell'Europa ha significato per molte terre essere condannate alla povertà perenne, causata dal colonialismo di ieri che ha depredato risorse (e schiavizzato popoli) e dal neocolonialismo che con modalità differenti depreda le risorse di oggi.

La storia del colonialismo e la storia della nostra contemporaneità sono intimamente legate.

E questo va ricordato.

Quindi questo libro non è un processo al passato, soprattutto non è un processo all'Italia. È solo il tentativo di illuminare questo passato, per conoscerlo meglio e soprattutto, come già detto, per non ripeterlo. Conoscere il passato ci serve per costruire una società migliore. Mi raccomando, chiuso questo libro non smettete di ricercare memoria. Sarete voi nel futuro a fare la differenza.

RINGRAZIAMENTI

Volevo ringraziare Francesca Melandri, che non solo ha scritto il miglior romanzo sul colonialismo italiano (anzi regalatelo ai vostri genitori, i librai e le libraie vi aiuteranno a scovarlo: *Sangue giusto*, Bompiani), ma è soprattutto una grande amica. E per questo libro mi ha dato un grande supporto.

Vorrei ringraziare anche Shaul Bassi, Adil Mauro, Rino Bianchi, Carla Toffolo, Leila El Hussi, Esther Elisha, il dottor Taloni per il supporto e l'amicizia, Nicola Labanca, Giulietta Stefani, Alessandro Volterra, Filippo Focardi, Uoldelul Chelati Dirar, Dagmawi Ymer, l'agenzia Piergiorgio Nicolazzini, Helena Janeczek, Enrico Manera, Simone Paulino, Enza Spinapolice, Ruth

Ben-Ghiat, Mia Fuller, Daniele Timpano, Elvira Frosini, Goulia Grechi, Giulia Barrera, Donatella Trotta, Gianluca Gabrielli, Guido Abbattista.

Un grande ringraziamento alla mia superfamiglia.